★★★★★
LE
FACTEUR
FRED

LE FACTEUR FRED
Édition originale publiée en anglais par Doubleday, une filliale Random House, Inc., New York, NY (É.-U.) sous le titre :
THE FRED FACTOR

ÉDITIONS DU TRÉSOR CACHÉ
815, Boul. St-René Ouest, local 3
Gatineau, (Québec) Canada
J8T 8M3
Tél.: (819) 561-1024
Téléc.: (819) 561-3340
Courriel : editions@tresorcache.com
Site web : www.tresorcache.com

Traduction : Marie-Andrée Gagnon
Infographie : Richard Ouellette Infographiste

Dépôt légal - 2005
Bibliothèque nationale du Québec
Bibliothèque nationale du Canada

ISBN 2-922405-34-6

Imprimé au Canada

Diffusion :

Canada : Québec-Livres, Laval (Québec), (450) 687-1210
Europe : Diffusion Vander, Bruxelles (Belgique), (02) 761 12 12
Librairie du Québec, Paris (France), 1 43 54 49 02
Europe (marchés spéciaux) : WMI Sarl, www.libreentreprise.com

Comment la passion dans votre travail et dans votre vie peut rendre l'ordinaire extraordinaire

MARK SANBORN

AVANT-PROPOS

Il arrive de temps à autre qu'on découvre un livre si inspirant qu'il nous pousse à dresser sur-le-champ une liste de gens qui, à notre avis, *doivent* absolument en avoir un exemplaire !

C'est justement la réaction que suscita en moi la lecture du livre *Le facteur Fred*, de Mark Sanborn.

Ce petit livre captivant, basé sur un fait vécu, livre un puissant message de motivation qui aura pour effet d'améliorer beaucoup votre attitude envers le travail et la vie. Regardons les choses en face, si un gars du nom de Fred, qui fait un travail moins qu'enchanteur pour le Service postal des États-Unis, arrive à offrir à ses clients un service et un engagement exceptionnels, quelles occasions s'offrent à vous et à moi d'aider des gens, et d'accroître du même coup notre satisfaction personnelle ?

Si je devais dresser la liste des gens qui auraient avantage à lire *Le facteur Fred*, voici qui y figurerait :

- Mes employés et mes partenaires commerciaux – car ils découvriront le secret qui sous-tend le moyen de mieux servir les clients.
- Mes relations professionnelles qui occupent un poste de gestion – car ils découvriront comment inspirer à toute une organisation le désir d'atteindre des degrés d'excellence jusque-là inégalés.
- Les membres de ma famille – car ils découvriront l'avantage d'exprimer une appréciation sincère à l'égard de ceux qu'ils aiment.

- Les étudiants qui terminent leurs études – car ils découvriront des moyens extraordinaires de connaître la réussite durant toute leur vie, moyens qui ne leur auront pas été enseignés en classe.
- Pour terminer, j'aimerais voir ce livre être lu par tous ceux que je connais qui souhaitent changer les instants banals de la vie en expériences extraordinaires.

Le « facteur Fred » se définit par quatre principes fondamentaux. Je ne gâcherai pas l'enthousiasme d'une future découverte en vous les communiquant maintenant. Mais je vous promets que, si vous prenez à cœur le conseil de Mark Sanborn et que vous vous mettez à mener une existence plus « semblable à celle de Fred », vous ne percevrez jamais plus de la même manière votre propre personne, la valeur que vous apportez aux autres et l'importance de votre place dans le monde. Par ailleurs, non seulement vous aurez une incidence permanente sur votre *propre* sphère d'influence, mais encore vous acquerrez les compétences nécessaires pour en aider *d'autres* à devenir des « Fred » à leur tour.

Il se peut que ce que j'aime le plus dans *Le facteur Fred,* c'est qu'il ne s'agit pas ici simplement d'une parabole de plus portant sur le moyen de mieux réussir sa vie, aussi précieux ces récits fictifs puissent-ils être. Ce qui rend ce livre si spécial, c'est que l'histoire de Fred est *vraie* ! Et en plus de nous raconter son histoire, ce livre nous fait connaître beaucoup d'autres personnes réelles qui font une différence dans le monde, dans des milieux aussi diversifiés qu'un cabinet de médecin, un restaurant, une salle de classe et un foyer.

Je vous exhorte à faire quelque chose de spécial pour les autres et pour *vous-même*: Intégrez le « facteur Fred » à votre vie.

— JOHN C. MAXWELL

REMERCIEMENTS

Le véritable facteur du nom de Fred – Fred Shea – continue d'être une source d'inspiration pour moi. Je le remercie d'être l'exemple d'un service extraordinaire et de me permettre de raconter son histoire.

Je considère les gens de l'équipe de WaterBrook Press comme des amis. Merci à Don Pape d'avoir cru au bien-fondé du présent livre et à Bruce Nygren pour l'aide précieuse qu'il m'a fournie lors de sa rédaction.

Tant d'amis au sein de la National Speakers Association m'ont inspiré, instruit et encouragé au fil des ans. Le fait d'appartenir à cette organisation admirable a grandement ajouté à ma vie privée, ainsi qu'à ma vie professionnelle. J'ai trop de copains conférenciers pour tous les nommer, mais vous vous reconnaîtrez. Sachez également que je vous suis reconnaissant.

Ma femme, Darla, est ma plus grande admiratrice et la personne qui m'encourage le plus. Elle a relu beaucoup de manuscrits, écouté d'innombrables discours et supporté mon style de vie exceptionnellement nomade. Comme toujours, je lui voue une gratitude et un amour éternels.

Pour terminer, je tiens à remercier les nombreuses personnes – certaines que j'ai rencontrées et d'autres dont je n'ai qu'entendu parler – qui vivent chaque jour animés de l'esprit du facteur Fred, et qui ajoutent à la plénitude et à la richesse de la vie d'autrui. À vous tous, je vous tire mon chapeau.

À mes fils, Hunter et Jack – je suis fier d'être votre père.
À ma femme, Darla – je suis béni d'être ton mari.

PREMIÈRE PARTIE

QU'EST-CE QU'UN FRED ?

★ Un ★

LE PREMIER FRED

Faites de chaque journée votre œuvre d'art.

— JOSHUA WOODEN, père de John Wooden

Je rencontrai un « Fred » pour la première fois juste après avoir acheté ce que j'appelais une « nouvelle » vieille maison. Construite en 1928 et située à Denver dans un magnifique quartier bordé d'arbres portant le nom de Washington Park, cette maison fut la toute première que je possédai. Quelques jours à peine après que j'y eus emménagé, j'entendis frapper à la porte avant. J'ouvris et je trouvai un facteur sur mon porche.

« Bonjour, M. Sanborn ! me lança-t-il tout gaiement. Je m'appelle Fred, et je suis votre facteur. Je me suis arrêté chez vous simplement pour me présenter, pour vous souhaiter la bienvenue dans le quartier, et pour apprendre à vous connaître un tout petit peu et savoir ce que vous faites dans la vie. »

Fred était d'apparence tout à fait ordinaire et de taille moyenne, et portait une petite moustache. Bien que son apparence physique ne véhiculait rien qui sorte de l'ordinaire, sa sincérité et sa cordialité se remarquaient immédiatement.

Du coup, je me sentis un peu ahuri. Comme la plupart d'entre nous, il y avait des années que je recevais du courrier, mais je n'avais jamais fait ce type de rencontre personnelle avec mon facteur. J'en fus impressionné – un beau geste.

« Je suis conférencier. Je n'ai pas de vrai travail », lui répondis-je à la blague.

« Si vous êtes conférencier, vous devez beaucoup voyager », me dit-il.

« Oui, en effet. Je suis en déplacement entre 160 et 200 jours par année. »

Après avoir hoché la tête, Fred poursuivit : « Eh bien, si vous voulez me remettre une copie de votre horaire, je veux bien retenir votre courrier et l'empiler. Je ne vous le livrerais que les jours où vous seriez à la maison pour le recevoir. »

L'offre consciencieuse de Fred m'étonna, mais je lui répondis qu'un tel effort supplémentaire n'était probablement pas nécessaire. « Pourquoi ne laisseriez-vous pas simplement le courrier dans la boîte qui se trouve sur le côté de la maison ? lui proposai-je. Je l'y récupérerais lorsque je reviendrais en ville. »

Fronçant les sourcils et hochant la tête en signe de refus, Fred me dit : « M. Sanborn, les cambrioleurs ont souvent pour habitude de vérifier si le courrier s'empile dans certaines boîtes. Ils savent ainsi qu'on n'est pas en ville. Vous risqueriez donc de devenir leur victime. » Fred se préoccupait davantage que moi de mon courrier ! Mais ce qu'il me disait avait du sens ; après tout, c'était un professionnel des services postaux.

« Voici ce que je vous suggère, M. Sanborn, continua Fred. Je vais mettre votre courrier dans votre boîte tant et aussi longtemps que j'arriverai à la fermer. Comme ça, personne ne saura que vous n'êtes pas là. Tout ce qui n'entrera pas dans votre boîte, je le mettrai entre la porte moustiquaire et la porte avant. Personne ne verra qu'il s'y trouve. Et si cet endroit-là ne peut recevoir davantage de courrier, je retiendrai simplement le reste jusqu'à ce que vous reveniez en ville. »

À ce moment-là, je commençai à me demander si ce gars-là travaillait réellement pour le Service postal des États-Unis. Peut-être que ce quartier était doté d'un système privé de livraison du courrier. Toutefois, comme les suggestions de Fred me semblaient être la solution idéale, je les acceptai.

Deux semaines plus tard, je rentrai de voyage. En mettant la clef dans la serrure de ma porte avant, je remarquai que mon paillasson avait disparu. Les cambrioleurs de Denver dérobaient-ils réellement les paillassons ? C'est alors que je remarquai qu'il se trouvait dans un coin du porche, et qu'il dissimulait quelque chose. L'ayant soulevé, je trouvai une note de – qui d'autre ? – Fred ! La lecture de son message me révélait ce qui s'était produit. Pendant mon absence, un service postal différent avait livré à la mauvaise adresse un colis qui m'était destiné. On l'avait laissé sous le porche de quelqu'un d'autre, cinq maisons plus loin. Ayant remarqué que mon colis se trouvait sous le mauvais porche, Fred l'avait ramassé, l'avait porté jusque chez moi, y avait attaché sa note, puis avait tenté de le dissimuler un peu en le recouvrant du paillasson.

Non seulement Fred livrait-il le courrier, mais encore il se donnait maintenant la peine de corriger les erreurs de UPS !

Ses agissements firent grande impression sur moi. En tant que conférencier, je suis particulièrement doué pour trouver et pointer du doigt ce qui est « répréhensible » dans le service à la clientèle et les affaires en général. Trouver des exemples de ce qui est « bien » ou même digne d'éloges s'avère beaucoup plus difficile. Et voilà que se présenta à moi ce facteur, Fred, l'exemple par excellence de ce à quoi ressemble le service personnalisé et le modèle à imiter pour quiconque souhaite faire une différence dans son travail.

Je commençai alors à employer mes expériences avec Fred en guise d'illustrations dans les discours et les séminaires que je faisais partout aux États-Unis. Tout le monde voulait entendre parler de Fred. Son histoire captivait mes auditoires, qu'on travaille dans l'industrie des services, dans une société de fabrication, dans le domaine de la haute technologie ou dans les soins de santé.

Lorsque je me trouvais à Denver, j'avais parfois l'occasion de dire à Fred comment son travail en inspirait d'autres. Je lui racontai un jour l'histoire d'une employée découragée qui ne recevait aucune reconnaissance de la part de ses employeurs. Elle m'avait écrit pour me dire que l'exemple de Fred l'avait incitée à « continuer de continuer » à faire ce qu'elle savait en son for intérieur être la chose à faire, sans attendre de reconnaissance et de récompense.

Je racontai également à Fred qu'un gérant m'avait pris à l'écart après un discours pour me dire qu'il n'avait jamais réalisé auparavant que, tout au long de sa carrière, il avait eu pour objectif d'être « un Fred ». Il était d'avis que, dans tout domaine et toute profession, toute personne devrait viser l'excellence et la qualité.

J'étais ravi de dire à mon facteur que plusieurs sociétés avaient créé un prix Fred à présenter à leurs employés qui manifestaient son esprit typiquement voué au service, à l'innovation et à l'engagement.

Un admirateur de Fred lui fit parvenir un jour une boîte de biscuits faits maison en l'envoyant à mon adresse!

Le premier Noël où j'eus Fred pour facteur, je voulus le remercier de manière plus formelle pour son service exceptionnel. Je lui déposai donc un petit cadeau dans ma boîte aux lettres. Le lendemain, je trouvai une lettre inhabituelle dans ma boîte. L'enveloppe était affranchie, mais le timbre n'était pas oblitéré. C'est alors que je remarquai l'adresse de retour: la lettre me venait de Fred, mon facteur.

Fred savait qu'il aurait enfreint la loi s'il avait déposé dans ma boîte une lettre non affranchie, alors, même s'il l'avait portée lui-même de chez lui à chez moi, il avait fait la bonne chose en affranchissant la lettre.

J'ouvris la lettre, dont voici un extrait: «Cher M. Sanborn, Merci de vous être souvenu de moi à Noël. Le fait que vous parliez de moi dans vos discours et vos séminaires me flatte, et j'espère pouvoir continuer de fournir un service exceptionnel. Bien à vous, Fred, votre facteur.»

Au cours des dix années qui suivirent, je reçus constamment un service remarquable de la part de Fred. Je pouvais toujours dire quels jours il ne desservait pas ma rue par la manière dont on fourrait mon courrier dans ma boîte. Lorsque Fred était au travail, tous les items étaient soigneusement mis en paquet.

Mais il n'y avait pas que cela. Fred s'intéressait aussi personnellement à moi. Un jour, tandis que je tondais le gazon avant, un véhicule ralentit en passant dans la rue. Par une vitre descendue, une voix qui m'était bien connue me parvint : « Bonjour, M. Sanborn ! Comment s'est passé votre voyage ? »

C'était Fred, *en congé*, en train de se balader dans le quartier.

Après avoir observé son attitude et ses actions exemplaires, j'en suis venu à la conclusion que Fred – de même que la manière dont il s'acquittait de ses tâches – fournissait la métaphore parfaite pour illustrer l'art de se réaliser soi-même et d'exceller au XXIe siècle. Fred – ainsi que les innombrables autres Fred que j'ai pu rencontrer, observer, ou par qui j'ai pu être servi dans de nombreuses professions – m'a incité à écrire *Le facteur Fred*. Ce livre renferme les leçons, simples mais profondes, que tant de Fred du monde entier m'ont enseignées.

Tout le monde peut être un Fred ! Y compris vous ! Il n'en résultera pas seulement dans votre travail des efforts et une réussite extraordinaires, mais vous en viendrez également à vivre une vie extraordinaire.

★ Deux ★

Les principes du Fred

Peu importe ce que vous êtes, soyez-le au mieux.

— Abraham Lincoln

La vérité est transmissible. Voilà pourquoi, dans le présent livre, je mentionnerai souvent des idées fondamentales qui, selon moi, définissent l'essence même du facteur Fred. Ces idées s'appliquent à votre vie et à votre travail. Sous forme abrégée, je vous présenterai ici les quatre principes que mes interactions avec Fred, mon facteur, m'ont enseignés et qui, à mon avis, s'appliquent à toute personne, quelles que soient sa profession, sa situation et son époque.

Principe nº 1 : Tout le monde fait une différence

Peu importe la taille, ou même l'inefficacité, d'une organisation. Quiconque y travaille peut quand même faire une différence. *Vous* pouvez faire une différence. Un employeur médiocre a la possibilité de freiner un rendement exceptionnel, d'en faire fi, et de ne pas le reconnaître et l'encourager correctement. Par contre, un excellent employeur a la possibilité de former des employés à donner un rendement exceptionnel, pour ensuite le récompenser. En définitive, cependant, seul l'employé peut choisir de faire son travail de manière extraordinaire, quelles que soient les circonstances.

Réfléchissez-y. Améliorez-vous ou altérez-vous l'expérience de vos clients et de vos collègues ? Faites-vous progresser votre organisation vers la réalisation de ses objectifs ou l'en éloignez-vous ? Accomplissez-vous votre travail de manière ordinaire ou l'exécutez-vous superbement ? Allégez-vous le fardeau d'autrui ou y ajoutez-vous ? Édifiez-vous les gens ou les dénigrez-vous ?

Personne ne peut vous empêcher de choisir d'être quelqu'un d'exception. Votre journée terminée, la seule question qui s'impose à vous est la suivante : « Quel genre de différence ai-je apporté ? »

Fred Smith, auteur distingué et homme d'affaires émérite, a remarqué au cours de ses années d'expérience en matière de leadership que « la plupart des gens se passionnent pour la valeur ».

Je lui donne d'ailleurs raison. Prenons l'exemple de Fred, le facteur. Si pour certains la livraison du courrier peut sembler monotone et routinière, Fred y voit l'occasion d'agrémenter la vie des gens qu'il est appelé à servir. Il choisit d'y faire une différence positive.

Martin Luther King, fils, a d'ailleurs dit : « L'homme qui est appelé à devenir balayeur de rues devrait balayer les rues aussi bien que Michel-Ange peignait et que Beethoven composait de la musique et que Molière écrivait de la poésie. Il devrait si bien balayer les rues que tous les êtres du ciel et de la terre s'arrêteraient pour déclarer : "Ici vivait un grand balayeur de rues qui faisait bien son travail." »

Cela, Fred, le facteur, le comprenait. Il est la preuve même qu'aucun travail ne peut être insignifiant ou ordinaire dès l'instant où il est accompli par quelqu'un de valeur et d'extraordinaire.

Les politiciens aiment bien nous dire que le travail donne aux gens de la dignité. Je suis d'accord avec eux. Il importe d'avoir un travail à accomplir, ainsi que les moyens de gagner sa vie et de subvenir aux besoins de sa famille. Mais cela ne constitue que la moitié de l'équation. Ce que nous n'avons certainement pas entendu dire assez souvent, c'est que *les gens* donnent de la dignité au travail. *Il n'existe pas de travail sans importance, il n'y a que des gens qui se sentent sans importance dans l'accomplissement de leur travail.* Voilà probablement d'ailleurs pourquoi B. C. Forbes, fondateur légendaire du magazine *Forbes*, a dit: «Il y a plus de mérite et de satisfaction à être un camionneur de premier ordre qu'un dirigeant de dixième ordre.»

Il m'a été donné de rencontrer des conducteurs de taxi qui sont mieux inspirés quant à la manière de faire leur travail que certains cadres supérieurs qui semblent avoir perdu tout désir d'atteindre l'excellence. Bien que ses fonctions ne déterminent jamais son rendement, son rendement détermine en définitive sa fonction dans la vie. C'est que sa fonction est fondée sur ses résultats plutôt que sur ses intentions. Il s'agit de faire réellement ce dont les autres ne font habituellement que parler.

Établir une norme élevée s'avère plus ambitieux que de chercher simplement à obtenir le statu quo. La capacité de supporter les critiques de ceux qui se sentent menacés par vos réalisations ne dépend aucunement de votre titre, mais de votre attitude. En bout de ligne, plus vous avez de la valeur aux yeux des autres – plus vous créez de la valeur dans votre travail ou dans vos interactions avec autrui –, plus vous finirez par vous attirer de la valeur. Faire de votre mieux avec fidélité, indépendamment du soutien, de la reconnaissance et des récompenses que vous pouvez obtenir, constitue le facteur clé dans la réussite d'une carrière.

PRINCIPE N° 2: LA RÉUSSITE SE BÂTIT SUR LES RELATIONS

Tout au long de ma vie, la majeure partie du courrier qui m'a été envoyé a abouti dans ma boîte à lettres. Ce service m'a été fourni par le Service postal des États-Unis, qui m'a donné ce que mes propres frais d'affranchissement payaient – rien de plus, ni rien de moins.

Par contraste, le service que j'ai reçu de la part de Fred, mon facteur, lui était supérieur pour plusieurs raisons, la plus grande étant ma relation avec cette personne. Elle était différente de la relation que j'ai eue avec tous les autres facteurs, ceux qui l'ont précédé et ceux qui l'ont suivi. En fait, Fred est le seul facteur avec qui j'ai entretenu une relation personnelle.

Il est facile de voir en quoi Fred s'élevait au-dessus de la masse. Les gens indifférents fournissent un service impersonnel. Un service se personnalise lorsqu'une relation s'établit entre la personne qui le fournit et son client. Fred a pris le temps de faire ma connaissance, et de comprendre mes besoins et mes préférences. Il a utilisé ensuite ces renseignements pour me fournir un meilleur service que tout autre auparavant. Êtes-vous capable d'en faire autant ?

Fred est la preuve que, dans n'importe quel emploi ou commerce, le développement de relations constitue l'objectif le plus important à viser, en ce sens que la qualité de la relation détermine la qualité du produit ou du service fourni. Cela explique aussi que :

Les leaders réussissent lorsqu'ils reconnaissent que leurs employés sont humains ;

La technologie réussit lorsqu'elle tient compte du fait que ses utilisateurs sont humains ; et

Les employés comme Fred, le facteur, réussissent lorsqu'ils reconnaissent que leur travail implique le fait d'interagir avec des êtres humains.

Principe nº 3 : Vous devez créer continuellement de la valeur pour autrui, ce qui n'a d'ailleurs pas à vous coûter le moindre centime

Vous arrive-t-il de vous plaindre de manquer d'argent ? De ne pas avoir reçu la formation nécessaire ? Que les bonnes occasions ne se sont pas présentées à vous ? Autrement dit, croyez-vous qu'il vous manque des ressources pour exceller ?

Le cas échéant, considérez Fred. De quelles ressources disposait-il ? D'un uniforme bleu fade et d'un sac rempli de courrier. C'est tout ! Pourtant, il arpentait les rues le cœur et la tête orientés vers les possibilités. Son imagination rendait possible pour lui la création de valeur pour ses clients, ce qui n'exigeait pas le moindre dollar de sa part. C'est juste qu'il réfléchissait de manière plus intensive et plus créative que les autres facteurs.

Ce faisant, Fred en vint à maîtriser la compétence professionnelle la plus importante du XXIe siècle : la capacité de créer de la valeur pour les clients sans avoir à dépenser plus d'argent pour y arriver.

Vous aussi pouvez remplacer l'argent par l'imagination. Il s'agit de penser plus et non de dépenser plus que la concurrence.

J'ai rencontré bien des gens qui s'inquiétaient d'en venir à payer de leur emploi la réduction des effectifs. Je leur dis toujours qu'ils doivent cesser de se tracasser. Mon indifférence les choque. En fait, ce que je veux, c'est réorienter leur attention en l'amenant à délaisser la perspective de tomber au chômage au profit de la « prédisposition à être employé ».

Dans l'économie actuelle, le diplômé du lycée ou de l'université devrait s'attendre à être au chômage à quelques reprises au cours de sa carrière. Mais ses périodes de chômage seront brèves, tant que la personne sera prédisposée à être employée, c'est-à-dire tant qu'elle sera dotée de compétences qui la rendront intéressante pour tout employeur, quelle que soit l'industrie ou le lieu géographique concerné.

Alors, à quoi ressemblent ces compétences ? De nombreux facteurs contribuent à la prédisposition à être employé, mais je suis convaincu que la compétence la plus essentielle à posséder est la capacité de créer de la valeur pour les clients et les collègues sans avoir à dépenser le moindre argent pour ce faire. L'astuce consiste à remplacer l'argent par l'imagination, à substituer la créativité au capital.

Selon la Maxime de Sanborn, plus vite vous tenterez de régler un problème par l'argent, moins vous aurez de chances d'y trouver la meilleure solution. Avec suffisamment d'argent, quiconque peut se sortir d'un problème. Le défi consiste à penser plus et non à dépenser plus que la concurrence.

Dans le monde des affaires, la concurrence a lieu à l'intérieur ou à l'extérieur de l'organisation, et parfois aux deux endroits. Par exemple, il se peut que vous rivalisiez pour obtenir un meilleur poste au sein de votre service ou de votre organisation. S'il est possible que l'éthique professionnelle vous empêche de décrire les choses ainsi, vous espérerez que le meilleur homme ou la meilleure femme pour le poste l'obtiendra, et vous vous efforcerez de prouver que vous êtes la personne tout indiquée.

Ou encore, on a peut-être un concurrent déclaré sur le marché. Un jour que je donnais une conférence coparrainée par un service de livraison qui considère le Service postal des États-Unis comme un concurrent, on m'interdit d'utiliser l'histoire de Fred dans ma présentation. (Il me sembla curieux que la société en question ne veuille pas que je me serve de l'exemple de Fred pour illustrer le type de service auquel elle aspirait et qu'elle encourageait tous ses employés à fournir. Mais il s'agit là du sujet d'un tout autre livre!) Or, étant donné que l'employeur de Fred concurrence d'autres services postaux pour accroître ses revenus, Fred favorise la cause de sa société ou y nuit. Toutefois, la plupart des employeurs reconnaissent que Fred est le type d'employé qui leur procurera un avantage concurrentiel.

Mais je ne suis pas certain que Fred (ou son employeur) ait réellement pensé à la concurrence au sens traditionnel du terme. Fred est plus probablement la preuve vivante de ce qu'il existe un autre concurrent, moins observable: *le travail qu'on aurait pu faire.* À dire vrai, nous concurrençons chaque jour notre propre potentiel. Et la plupart d'entre nous font et sont moins que ce qu'ils pourraient faire et être.

Il se peut que je n'arrive jamais à comprendre tout ce qui peut motiver Fred, mais je soupçonne que la satisfaction que lui procure le fait d'exceller dans son travail et dans son service y soit pour beaucoup, de même que la joie qu'il procure continuellement à ses clients.

À l'issue de chaque journée, Fred a triomphé d'un opposant silencieux qui constitue une menace pour son potentiel, tout comme il menace le vôtre et le mien. Ce concurrent, c'est la médiocrité, soit le fait d'être disposé à en faire tout juste assez et rien de plus que le strict minimum pour que son travail soit acceptable.

Or, bien que ce concurrent ne puisse vous voler une promotion ou des parts du marché, la médiocrité ne manquera assurément pas de réduire la qualité de votre rendement et la satisfaction que vous en tirez.

PRINCIPE Nº 4: VOUS POUVEZ VOUS RÉINVENTER RÉGULIÈREMENT

Voici une chose à considérer: Si Fred pouvait mettre autant d'originalité dans le fait de placer du courrier dans une boîte, combien plus d'originalité vous et moi pourrions-nous mettre dans ce que nous faisons ? Comment nous est-il possible de nous réinventer, nous et notre travail ?

Il y a des jours où on se lève fatigué. On a le sentiment d'avoir lu les livres, d'avoir écouté les cassettes audio, d'avoir regardé les vidéos et d'avoir assisté aux séances de formation. On fait tout ce qui est humainement possible pour atteindre l'excellence, mais la fatigue ne s'envole pas et la motivation ne vient pas. Quand vous vous trouvez dans le creux de la vague, quand votre engagement professionnel vacille et que tout ce que vous voulez, c'est que votre travail se fasse pour pouvoir rentrer chez vous en fin de journée, que pouvez-vous faire ?

Pour ma part, voici ce que je fais : Je repense au type qui me livrait mon courrier. En effet, si Fred, mon facteur, pouvait mettre autant de créativité et d'engagement dans le fait de placer du courrier dans une boîte, je peux en mettre autant sinon plus dans le fait de réinventer mon travail et de renouveler mes efforts. Je suis d'avis que, peu importe le poste que vous occupez, l'industrie dans laquelle vous travaillez et l'endroit où vous vivez, vous pouvez repartir sur une bonne base chaque matin. Vous avez la possibilité de faire de votre travail, ainsi que de votre vie privée, tout ce que vous choisirez d'en faire.

Voilà ce que j'appelle « le facteur Fred ».

★ Trois ★

LA RENCONTRE D'UN FRED

Dans la vie de toute personne se présente un moment spécial, celui en vue duquel elle est née. Cette occasion spéciale, lorsqu'elle la saisit, lui permet d'accomplir sa mission – mission qu'elle est seule à pouvoir accomplir. À ce moment-là, elle découvre ce qu'il y a de grand dans la vie. C'est son heure de gloire.

— WINSTON CHURCHILL

Maintenant que j'ai expliqué les qualités du Fred typique, vous comprendrez mieux pourquoi il me plaît de découvrir des Fred partout où je vais.

Je raffole des cafés Starbucks et j'entame rarement mes journées sans eux. Un matin que je me rendais au volant de ma voiture à l'aéroport international de Denver, je fis un détour par chez Starbucks pour y acheter ma boisson préférée, une « grande » (une vraie grosse tasse de café fumant).

De retour sur l'autoroute, je réalisai que je m'étais mis quelque peu dans le pétrin. Ma voiture n'était pas à transmission automatique, ce qui veut dire que j'avais besoin d'une main pour changer les vitesses et de l'autre pour manipuler le volant. Je déposai donc mon café sur la console centrale, jusqu'à ce que j'aie pu passer en vitesse supérieure. Quels étaient les risques que mon café se renverse ?

Plutôt élevés, il faut bien le dire. Soudain, une tache sombre et chaude s'élargit sur ma jambe droite, depuis le genou jusqu'à la hanche. Et je portais un jean *bleu clair*. À l'aéroport, j'administrai les premiers soins à mon jean en le raclant et en l'exposant ensuite au sèche-mains des toilettes. Mais, en bout de ligne, je ressemblais tout de même à un grand abruti.

Dès que j'eus rempli ma fiche à l'hôtel Marriot de l'aéroport d'Atlanta, je communiquai avec le service d'entretien domestique. J'expliquai à la superviseur: « Ce jeans maculé de café est le seul pantalon que j'aie à porter pour rentrer chez moi. Y aurait-il moyen de le faire laver d'ici demain matin ? »

La voix chargée de sympathie, elle m'informa que non seulement l'hôtel ne possédait pas de service de lessive, mais encore que l'équipe qui lavait le linge avait terminé sa journée et était partie. Puis, elle ajouta qu'elle serait toutefois heureuse d'emporter mon jean chez elle, de le laver et de me le ramener tôt le lendemain matin.

Reconnaissant de sa gentillesse, j'acceptai son offre.

Le lendemain matin, cette femme exceptionnelle vint me livrer à ma porte un jean frais lavé et pressé.

Je regrette encore de ne pas avoir obtenu son nom (bien que j'aie fait parvenir à l'hôtel une lettre élogieuse la concernant). Mais même si j'ignore son nom officiel, je sais comment l'appeler: C'est une Fred.

Depuis le jour où je fis la connaissance de mon facteur, Fred, j'en suis venu à la réalisation que les Fred, de même que les Fred en puissance, se trouvent partout. Et chacun de ceux que je rencontre me convainc que les Fred constituent beaucoup moins l'exception à la règle que je ne le croyais auparavant. Chacun en est un à sa manière. Voici quelques types de Fred qu'il m'a été donné de rencontrer.

Une Fred comique

Les passagers du vol matinal de 6h15 allant de Denver à San Francisco sont rarement pleins d'entrain. Je sais par expérience que ce vol est habituellement peu mouvementé, et que tout ce qui s'y entend est un ronflement occasionnel. Bien entendu, cela peut varier en fonction d'un agent de bord.

Sur un certain vol, les passagers eurent droit à des annonces peu orthodoxes de la part d'une agent de bord exceptionnellement créative et vive d'esprit.

« Si vous avez de la difficulté à vous déboucher les oreilles, je vous suggère de bâiller en ouvrant grand la bouche, commença-t-elle. Et si vous avez de la difficulté à bâiller, demandez-moi de vous parler de ma vie sentimentale. »

« Nous approchons de l'aéroport de San Francisco. Si San Francisco est votre destination finale, je vous souhaite de rentrer chez vous sain et sauf. La circulation est ralentie sur la 101 direction nord, et il semblerait qu'il y ait une voiture en panne à la sortie de la rue Market. Mais sinon, la circulation semble bonne. »

À ce moment-là, les passagers qui dormaient habituellement se réveillèrent ; on entendait rire dans tout l'avion. Une fois que l'avion eut touché le sol, l'agent de bord nous accorda un bis.

« À moins que votre voisin de siège m'ait coupé l'herbe sous les pieds, permettez-moi d'être la première à vous souhaiter la bienvenue à San Francisco. Vous remarquerez que les bâtiments de l'aéroport se trouvent à distance. Nous n'atterrissons pas directement au terminal, car les gens qui se trouvent à l'intérieur auraient une peur bleue. C'est pourquoi nous atterrissons au loin comme ça. Ça veut dire que l'avion va devoir rouler au sol jusqu'au terminal. Veuillez donc rester assis et ne pas détacher votre ceinture avant que nous nous soyons garés à la porte et que la consigne lumineuse s'éteigne.

« Pour ceux d'entre vous qui sont de sang royal, premiers ministres ou grands voyageurs – vous êtes trop nombreux à bord pour que je vous désigne par votre nom, mais vous vous reconnaîtrez –, nous vous remercions d'avoir choisi la United pour vos nombreux déplacements. Et si vous voulez bien me laisser une photo récente de vous en sortant de l'avion, je serai heureuse de la faire parvenir à vos proches afin de leur rappeler à quoi vous ressemblez.

« Pour terminer, j'espère que vous descendrez de l'avion en arborant un large sourire. Ainsi, les gens qui se trouvent à l'extérieur se demanderont ce que nous pouvons bien faire ici dans les cieux accueillants. »

Voici ce que cette Fred fit : Elle courut certains risques et s'amusa. Résultat : les passagers – ou plutôt ses « clients » – s'amusèrent également.

Un Fred qui rend des comptes

Jack Foy travaille comme expert-comptable de nuit à l'hôtel Homewood Suites de Worthington, dans l'Ohio. Un soir, la veille de la fête des Pères, une femme dont le mari séjournait là téléphona à l'hôtel pour soumettre une demande spéciale. Elle indiqua à Jack que pour la fête des Pères sa fille voulait s'assurer que son père se ferait servir son petit déjeuner préféré, qui se composait de crêpes, d'œufs et de bacon.

Le seul ennui, c'est que l'hôtel Homewood Suites n'est pas doté d'un restaurant. À 7h du matin, en terminant son service, Jack se rendit donc en voiture à un restaurant du quartier pour s'y procurer le repas spécial. Il acheta également une carte, qu'il signa au crayon de cire en y inscrivant : « De la petite fille de papa ». Il retourna ensuite à l'hôtel pour y remettre le colis surprise à un client très étonné et très reconnaissant.

Oh, soit dit en passant, en raison du geste de service que Jack posa à son égard, l'homme dont il avait prit un si grand soin accorda à l'hôtel un contrat substantiel. C'est ce qu'on appelle de la comptabilité à valeur ajoutée.

Voilà le pouvoir d'un Fred !

Un Fred généreux

Je venais tout juste de remplir ma fiche à l'hôtel Crowne Plaza de Columbus, dans l'Ohio, lorsque je me rendis compte que je n'avais pas suffisamment d'argent pour me payer un taxi qui me ramènerait à l'aéroport le lendemain matin. À la réception, on m'indiqua que l'hôtel ne pouvait me faire aucune avance de fonds sur ma carte American Express et que, malheureusement, je n'avais pas ma carte débit avec moi. On m'informa, cependant, que certains chauffeurs de taxi acceptaient les cartes de crédit. Mais étant donné que mon discours devait se terminer à 9h du matin et que je voulais prendre un vol de 9h40, je craignais que le temps supplémentaire qu'il me faudrait pour obtenir qu'un chauffeur m'accommode et pour remplir la paperasserie ajouterait à la difficulté pour moi d'arriver à temps pour mon vol.

Ce ne fut toutefois pas la fin de mes ennuis. Je me rendis compte que ma clef de chambre ne fonctionnait pas, alors je repris le corridor vers le téléphone interne qui se trouvait juste à la sortie de la salle de réunion. L'homme qui était de service au bar remarqua alors que je faisais un appel et que j'avais encore tous mes bagages.

« Y a-t-il un problème ? » me demanda-t-il, se présentant sous le nom de Nick. Je lui expliquai donc que ma clef de chambre ne fonctionnait pas.

« Je m'en charge, me dit-il avant de me demander : « Aimeriez-vous que je vous offre un verre, pour vous dédommager de l'inconvénient ? » J'acceptai son offre, puis je sirotai ma boisson et je mangeai quelques amuse-gueule tandis que Nick appelait la réception pour qu'on m'apporte une nouvelle clef.

Nick se montra d'une telle serviabilité qu'une fois que j'obtins ma clef, je décidai de lui faire part de ma situation embarrassante. Il m'écouta et me dit ensuite : « Si tout le reste échoue, revenez me voir et je m'en chargerai. »

Il me fit savoir qu'il serait de service jusqu'à 7h30 le lendemain matin, puis me demanda : « Avant de quitter l'hôtel, devrais-je vous téléphoner pour m'assurer que vous avez l'argent dont vous avez besoin? » Je lui répondis que ce serait très gentil de sa part de le faire.

Ayant finalement intégré ma chambre, je passai les quarante minutes suivantes en communication avec mon bureau, ma banque et American Express. Rien ne fonctionnait. Je vivais « une de ces journées ». La directrice de ma propre succursale bancaire me déclara qu'il n'y avait rien qu'elle puisse faire. American Express pouvait me fournir les fonds demandés, mais le processus exigerait une planification à tout casser. Je décidai donc de retourner voir Nick.

« Nick, c'est vraiment embarrassant, lui confiai-je. J'ai voyagé dans le monde entier et me suis retrouvé à court d'argent seulement deux fois en vingt ans. J'ai horreur d'avoir à demander, mais puis-je vous emprunter vingt dollars ? »

« Sans problème ! Ce sont des choses qui arrivent », me répondit Nick sans l'ombre d'une hésitation. En ouvrant son portefeuille, il me dit : « En voici trente. » J'essayai de lui expliquer qu'il ne m'en fallait que vingt.

« Non, non, prenez les trente, insista-t-il. On ne sait jamais ce dont vous pourriez avoir besoin. » Nous échangeâmes nos adresses, et je lui promis de lui envoyer l'argent dès mon arrivée à la maison.

Je fus à la fois reconnaissant et étonné de l'assistance généreuse que Nick me prêta. Un problème qu'American Express, la Norwest Bank ni même mon propre bureau ne pouvait régler de manière opportune fut résolu par une personne obligeante disposée à me rendre service.

Trente dollars ne représente pas une grande somme d'argent, mais pas davantage une somme négligeable, surtout lorsqu'elle vient de notre propre poche. Nick ne m'avait jamais vu auparavant, et à ce qu'il sût, il risquait de ne jamais plus entendre parler de moi. Il comprenait de quels risques s'accompagnait le fait d'être réellement serviable, et il était quand même prêt à les accepter.

Lorsque je retournai à mon bureau le lendemain, je fis parvenir à Nick un chèque, que j'accompagnai de quelques-uns de mes livres et de quelques-unes de mes cassettes pour lui exprimer ma reconnaissance.

Nick s'est-il déjà fait recevoir froidement ? Lui est-il déjà arrivé de venir en aide à un client qui a négligé de l'apprécier ou de le rembourser ? Je l'ignore, mais d'après moi, si c'était le cas, il continuerait de se montrer serviable même si ceux qu'il aidait ne le remboursaient pas toujours.

Je le crois au sujet de Nick, car je pense qu'il connaît certaines vérités importantes de la vie. Il sait que, pour progresser joyeusement et avec succès, il faut se concentrer sur ce qu'on donne et non sur ce qu'on reçoit. Il sait qu'on n'agit pas bien uniquement parce qu'on y est obligé. On agit de la sorte parce que c'est la chose à faire. Nick sait que le fait de se montrer serviable n'est pas une obligation, mais une opportunité. Il sait que d'apporter son aide est plus agréable encore que d'en obtenir.

C'est plutôt curieux, mais je suis content en fait d'avoir manqué d'argent, car cela m'a permis de faire la connaissance de Nick et de me faire rappeler ce que Nick sait. Et pour cette raison, vous le savez maintenant vous aussi.

Un Fred célèbre

Trouver un emploi d'été dans le Bronx au début des années 1950 n'était pas chose facile, mais le jeune Colin était déterminé à gagner l'argent dont il avait besoin. Il se présenta tôt chaque matin au Teamsters Hall pour offrir de faire des travaux de jour. Parfois, on l'acceptait comme aide à bord d'un camion de livraison de boissons gazeuses. Puis, il décrocha un emploi à nettoyer les dégoulinades de sirop dans une usine Pepsi. Aucun autre garçon ne se portait volontaire, mais Colin le fit. Et il s'acquitta si bien de sa tâche qu'il fut invité l'été suivant à revenir y travailler. Cet été-là, il manœuvra une machine plutôt qu'un balai à franges, et à la fin de l'été, il occupait la fonction de chef d'équipe suppléant.

Cela lui enseigna une leçon importante : « Tout travail est honorable, écrit-il dans ses mémoires. Faites toujours de votre mieux, car quelqu'un vous surveille. »

Des années plus tard, le monde regarda Colin Powell servir son pays à titre de président des Chefs d'état-major combinés, en menant les efforts militaires déployés durant la guerre du Golfe et en se faisant champion de l'éducation. En 2000, le président désigné George W. Bush le nomma secrétaire d'État.

La rencontre d'autres Fred encore

Voici quelques autres candidats au panthéon des Fred :

- Une serveuse venait tout juste de terminer sa journée chez Morton's, à Chicago. En marchant vers sa voiture, elle reconnut dans le parking un homme qu'elle avait servi plus tôt en soirée. Il se démenait, sans arriver à grand-chose, pour changer son pneu crevé. « Permettez-moi de vous aider », lui offrit-elle. En moins de deux, cette serveuse entreprenante changea le pneu et permit au client du restaurant de quitter les lieux.

- Sur un vol à destination d'Orlando, un agent de bord amusant se mit sur la tête une casquette Goofy et invita les enfants à se joindre à lui à l'avant de la cabine, où il leur fit des tours de magie. Sur le même vol, une autre agent de bord s'assit par terre et prit sur elle un enfant pour s'en occuper, accordant ainsi à un parent éreinté un répit des plus nécessaires.
- Au centre de ski Crested Butte Mountain, un employé répara la voiture d'un client tombée en panne dans le parking. Après le travail, un autre employé se servit de son propre permis du Service des forêts pour abattre un arbre, afin qu'une famille qui allait passer leurs vacances du temps des Fêtes au centre puisse avoir un arbre de Noël.
- Un technicien en câblodistribution du sud de la Californie dépasse de beaucoup le cadre de sa description de poste. Il programme le commutateur à distance des nouvelles chaînes, il règle le minuteur du magnétoscope, et il améliore souvent la qualité du son en repositionnant l'antenne de la chaîne stéréo et les enceintes.

- Une de mes amies est allée récemment au cinéma, mais avait oublié son portefeuille. Lorsqu'elle a demandé si elle pouvait émettre un chèque, on lui a répondu de ne pas s'en faire. À la place, on lui a demandé de déposer l'argent au guichet la prochaine fois qu'elle passerait dans le coin. Après avoir gagné son siège, la même personne lui a amené une boîte de maïs éclaté et une boisson gazeuse gratuites. À quelle fréquence cette amie va-t-elle à ce cinéma ? Chaque fois qu'elle en a la chance.
- Un jour que je tentais de rentrer chez moi à Denver depuis Philadelphie, je vécus une expérience particulièrement déplaisante. Le personnel de la compagnie aérienne à qui je m'adressais à l'aéroport semblait incapable ou non désireux de me venir en aide, alors je composai le numéro sans frais des grands voyageurs et demandai qu'on fasse venir un superviseur. La responsable était sincèrement sympathique et se démena pour qu'on me fasse prendre un vol le soir même. Son travail acharné fut des plus appréciés, mais ce qui m'impressionna plus encore fut le fait qu'elle téléphona à mon bureau le lendemain pour s'assurer que j'étais arrivé sain et sauf chez moi !

Certes, il y a des Fred partout. Vous en avez probablement rencontré quelques-uns vous-même.

L'heure est venue de vous poser la question cruciale : « Êtes-vous prêt à être un Fred ? » Si c'est le cas, alors poursuivez votre lecture !

DEUXIÈME PARTIE

DEVENIR UN FRED

Rendu jusqu'ici dans votre lecture, il se peut que vous vous disiez: « J'aimerais connaître plus de gens comme le facteur dénommé Fred, et vivre et travailler davantage avec eux ! » Nous profiterions tous d'un monde habité par des gens comme Fred, des gens qui tirent ce genre de fierté de leur travail et qui rendent l'ordinaire extraordinaire.

Combien de « Fred » y a-t-il au sein de votre organisation ? Vous êtes-vous déjà dit: « J'aimerais qu'il y ait plus de gens comme ça dans le coin » ? Regrettez-vous que certains de vos coéquipiers semblent davantage être des « anti-Fred » ?

Alors, comment faire en sorte qu'il y ait plus de Fred dans le monde ? La réponse est facile: *Soyez un Fred !*

Tout peut commencer par vous. Si vous désirez vivre dans un monde où il y a plus de Fred, soyez-en un. Ce n'est qu'en rendant l'ordinaire extraordinaire que les gens verront la possibilité d'en devenir un eux-mêmes.

Cela n'est pas si difficile. En fait, il est plus difficile de *ne pas* être un Fred. Les compétences et les habiletés qui nous rendent capables d'être « comme Fred » nous viennent souvent naturellement; elles proviennent de la personne que nous sommes déjà. Si vous n'aviez pas à tout le moins l'intérêt (ou, plus probablement, le désir ardent) de tirer le meilleur parti possible de votre carrière et de vos relations, vous ne vous seriez pas rendu jusqu'ici dans votre lecture.

Tous les êtres humains semblent avoir une chose en commun: la passion de la valeur. Je n'ai jamais rencontré personne qui souhaitait être insignifiant. Tout le monde souhaite compter, savoir que ce qu'on fait chaque jour ne sert pas uniquement à gagner sa vie, mais encore « à vivre de manière à gagner en valeur ». Il se pourrait bien que les gens les plus malheureux soient ceux qui vont travailler pour faire un boulot qu'ils détestent parce qu'ils ont besoin d'argent. Pourquoi ne pas aller plutôt travailler pour faire un boulot dont vous *raffolez* parce que vous avez besoin d'argent?

Vous le pouvez. Convertissez votre emploi en un travail dont vous raffolerez, non pas en le changeant contre un autre, mais plutôt en l'accomplissant différemment!

Voilà ce qui a fait de Fred quelqu'un d'unique. Des milliers d'hommes et de femmes livrent le courrier. Pour certains, « ce n'est qu'un emploi ». Dans le cas de plusieurs, il peut s'agir d'une occupation qui leur plaît. Mais pour quelques-uns comme Fred, la livraison du courrier devient une vocation.

C'est la personne qui accomplit le travail qui établit la différence entre le banal et l'original.

À VOUS DE CHOISIR

Que préférez-vous: l'agréable ou le misérable? Tirer de la satisfaction de votre travail ou n'en tirer aucune? Être vous-même ou dissimuler le véritable vous? Il est plus difficile d'être misérable, négatif et hypocrite que d'être heureux, positif et authentique. Tous les Fred ont en commun ces derniers traits de caractère, quel que soit le travail qu'il font dans la vie.

La plupart des gens croient progresser dans la vie quand ils apprennent quelque chose de nouveau. Je crois qu'on peut aussi progresser en revenant aux bases de la réussite. La véritable réussite se définit de plusieurs façons, mais je suis d'avis que se plaire le plus possible à faire son travail du mieux possible vient en tête de liste.

Tout ce que cela exige, c'est d'établir de nouveau les choses qu'on a toujours sues – ou les leçons qu'on a apprises à la maternelle ou à l'école du dimanche – et se mettre à les appliquer de nouveau à sa vie et à son travail.

Faites la bonne chose pour la bonne raison

Voici un mystère: Si l'on s'attend à recevoir éloges et reconnaissance, on obtiendra rarement satisfaction. J'ignore totalement pourquoi, mais la vie a démontré à maintes reprises que, si l'on fait quelque chose dans le but de recevoir des remerciements ou des éloges, on sera souvent déçu. Si, toutefois, on tente de faire la bonne chose, sachant que cela est sa propre récompense, on en tirera de la satisfaction, qu'on reçoive ou non de la reconnaissance de la part d'autrui. Ainsi, lorsqu'on obtient une récompense ou de la reconnaissance, elle est comme la cerise sur le gâteau.

Vos possibilités sont sans fin

Voici, selon moi, la raison pour laquelle les gens aiment entendre l'histoire du facteur dénommé Fred: Elle leur rappelle non seulement ce qui est possible, mais également quel est leur propre potentiel. L'excellence, la sagesse et la consécration sont toutes des éléments fonctionnels du monde de Fred. La médiocrité, la sottise et le manque d'engagement dont nous sommes les témoins chaque jour semblent en être les piètres substituts.

Les Fred nous rappellent que nous avons la possibilité de choisir les bons modèles à imiter. Ils servent d'exemples pour inspirer leur société ou leur organisation, leurs coéquipiers, leurs clients, leurs amis et les membres de leur famille. Lorsque d'autres voient les possibilités infinies qu'ils ont de créer l'excellence et de susciter l'admiration dans leur travail, ils veulent eux aussi devenir des Fred. C'est alors que quelque chose de merveilleux se produit. Ils retrouvent l'énergie qu'ils avaient auparavant. L'enthousiasme remplace le cynisme, et l'action supplante la suffisance. Le feedback, la reconnaissance et la satisfaction que procure le fait d'être un Fred alimentent les efforts de qualité qui sont continuellement fournis.

★ Quatre ★

Tout le monde fait une différence

Tous les hommes comptent. Vous comptez. Je compte.
Voilà en théologie la chose la plus difficile à croire.

— G. K. Chesterton

C'était un magnifique matin de printemps à Cincinnati. Comme je ne devais prendre la parole qu'en après-midi, je quittai l'hôtel et trouvai un café-bar dans le quartier. Après avoir payé ma tasse de café (que je pouvais faire remplir de nouveau gratuitement!), j'allai d'un pas nonchalant m'asseoir à une table extérieure pour y lire le journal. Pendant les vingt minutes qui suivirent, je pris plaisir à lire et à siroter mon café.

Il y avait une station de taxis à proximité, où je remarquai une vieille dame au volant du deuxième taxi de la file. Elle en sortit pour s'étirer et jeta un regard au café-bar derrière moi. Il n'y avait pas besoin d'être clairvoyant pour réaliser qu'elle considérait la possibilité d'y entrer. Du coup, je me levai et marchai jusqu'à elle, pour lui demander: «Une tasse de café, ça vous dirait?»

«Ce serait formidable!» me répondit-elle.

«Comment le prenez-vous?»

«Noir.» Tout à fait mon type de buveur de café.

J'entrai dans le café-bar, je fis remplir ma tasse gratuitement, puis je payai un peu plus d'un dollar pour le café de la dame. Lorsque je retournai auprès d'elle, elle se mit à fouiller dans ses poches pour y trouver de la monnaie.

« Ne vous donnez pas la peine, lui dis-je. C'est ma tournée. »

Tandis que je ramassais mon journal et que je reprenais le chemin de l'hôtel, la dernière chose que je vis fut la dame se tenant là bouche bée, l'air ébahi.

Ce dollar et des poussières furent l'argent le mieux investi que je dépensai ce jour-là. Je fus un Fred, ce qui me procura une grande satisfaction. Il se peut également que j'aie fourni une certaine inspiration du même coup.

VOUS ÊTES-VOUS LEVÉ CE MATIN AVEC L'INTENTION DE CHANGER LE MONDE ?

Admettre qu'on commence sa journée en prévoyant changer le monde semble certainement grandiose, voire même délirant. Cependant, je crois qu'on change bel et bien le monde chaque jour, qu'on en ait l'intention ou non. Il ne faut souvent qu'un petit geste pour faire une grande différence.

On change le monde de son conjoint ou sa conjointe, ou de ses enfants, selon la manière dont on interagit avec eux avant de quitter la maison. Un petit peu plus de temps ou d'attention, ou un doux moment d'affection, aura pour effet de changer leur monde ce jour-là. Et cela nous rappellera ce qui a de l'importance quand on sera contrarié et qu'on aura le sentiment que la journée commence bien mal parce qu'on aura dû courir pour arriver à temps au bureau.

On change le monde d'une conductrice lorsqu'on lui permet de changer abruptement de voie sans lui klaxonner après, reconnaissant qu'elle aussi est humaine et faillible. Bien entendu, on altère son monde de manière différente si on lui klaxonne après, on lui crie après ou on lui sert un geste obscène.

On change également le monde d'un collègue, d'un client, d'un fournisseur ou d'un préposé à la cafétéria en lui faisant un sourire ou en fronçant les sourcils.

Non, ces changements ne sont pas spectaculaires. Ils ne modifieront pas le cours des affaires du monde et ne permettront pas de découvrir un remède contre le SIDA. Mais qui peut dire si ces petits changements ne produiront pas un effet cumulatif profond sur la vie d'autrui et, en définitive, sur votre *propre* vie ?

Tout le monde fait une différence chaque jour

On peut lire des livres qui portent sur les moyens de faire une différence. Vous avez probablement entendu des enseignants, des pasteurs et des conférenciers exhorter leurs auditeurs à « faire une différence ».

Le fait est que tout le monde fait déjà une différence chaque jour. La question clé à se poser est donc : « Quel *type* de différence chacun de nous fait-il ? »

Faire une différence veut dire influer sur une personne, un groupe ou une situation. Il est presque impossible de rester neutre au cours de son cheminement journalier. Le fait de prêter attention aux autres, de leur accorder le respect qu'ils méritent et de les servir poliment fait une différence positive.

Par contraste, le fait de négliger, de critiquer et de dénigrer autrui, intentionnellement ou non, produit une différence négative.

La clef consiste à prêter attention aux types de différences qu'on fait. Pour reprendre les paroles de mon ami et compagnon de motocyclette Jim Cathcart: « Pour en savoir plus, remarquez davantage. »

Vous ne devriez pas vous demander: « Ai-je fait une différence aujourd'hui? » Bien sûr que si! Il ne fait aucun doute que vous avez influé sur la vie de quelqu'un, peut-être légèrement, ou encore de manière profonde.

La question la plus importante à se poser est la suivante: « Quel *type* de différence ai-je fait? »

MIEUX MÊME QUE DES GENTILLESSES FAITES AU HASARD

Peut-être avez-vous déjà vu sur un pare-chocs l'autocollant qui dit: « Practice Random Acts of Kindness » (Faites au hasard des gentillesses)?

Même la personne la moins semblable à Fred peut à l'occasion – « accidentellement » même parfois – faire quelque chose d'exceptionnel. Or, lorsque cela se produit, on devrait le reconnaître et célébrer en renforçant de manière positive le comportement manifesté.

Le présent livre a pour but de vous aider à penser, à agir et à vous comporter comme Fred, ainsi qu'à faire preuve du même esprit de magnanimité que lui dans votre travail, vos relations et votre vie – et cela, non de manière sporadique, mais constante. On peut apprendre à voir la vie en rose comme Fred.

Les choses qu'on fait, petites et grandes, créent cumulativement un style de vie qui devient apparent pour tous ceux qui y prêtent la moindre attention. Voilà le type d'exemple qui influe le plus sur les autres.

Le pouvoir d'une personne consacrée

Il est utile de se faire rappeler l'étendue que notre incidence peut avoir sur autrui.

En 1962, Dick Jordan enseignait aux nouveaux étudiants du lycée George Washington de Denver. Il invita alors les étudiants à venir le retrouver le premier jour du millénaire à l'entrée ouest de la bibliothèque publique située au cœur de Denver. Le jour venu, près de trente ans plus tard, quelque trois cents étudiants se présentèrent.

Lorsque des journalistes leur demandèrent pourquoi ils étaient venus, ils leur répondirent tout simplement qu'ils sentaient que Jordan se souciait d'eux. Il leur avait enseigné à réfléchir et à remettre en question ce qu'on trouvait dans les livres d'histoire, et dans au moins un cas, il avait inspiré un étudiant à tel point que ce dernier devint enseignant. Le mari d'une des étudiantes vint au rendez-vous parce que c'était une des dernières choses que sa femme lui avait demandées avant de mourir du cancer.

Tout avait commencé un peu à la blague. Ayant terminé ses études universitaires sans le sou, Jordan avait dû emprunter trois cents dollars d'un recruteur des écoles publiques de Denver juste pour pouvoir faire le voyage jusqu'au Colorado. À l'école, il avait porté le même complet marron pendant trois ans.

Il avait déclaré à sa toute première classe: « Je peux prendre ma retraite en 2000. Il faudrait bien qu'on se retrouve quelque part le premier jour de cette année-là. Et vous devrez tous apporter un dollar, car j'en aurai besoin! »

Ses élèves s'en souvinrent. Les dollars qu'ils apportèrent furent donnés à une œuvre de bienfaisance, la Catholic Worker Soup Kitchen.

La différence que fait une idée géniale

Bonnie McClurg comprend comment faire une différence. En enseignant la lecture à l'école primaire Chandler de Charleston, en Virginie occidentale, Bonnie change la vie des gens.

Il y a neuf ans, elle remarqua que certains élèves achetaient tous les jours des collations vendues dans le distributeur automatique de l'école. Cela l'incita à réfléchir et à faire un pas en avant: Pourquoi ne pas rendre les livres aussi faciles à acheter et aussi peu chers qu'une collation? S'empressant de joindre le geste à la pensée, elle trouva le moyen de mettre des livres dans le distributeur automatique, aux côtés des bretzels et des pommes chips.

Depuis, les élèves ont la possibilité d'acheter des livres comme *Le lapin de velours* et *Amazing World of Dinosaurs* (Le monde merveilleux des dinosaures) pour la modique somme de cinquante cents chacun, et dont le prix initial s'élève parfois jusqu'à 7,95 $. Comment s'étonner du fait que des élèves avides de lecture aient acheté plus de mille livres ? Bonnie ne se contenta pas d'avoir une idée ; elle la concrétisa aussi. Ce faisant, elle montra aux élèves que les livres peuvent être aussi d'agréables « collations », du genre de celles qui sont toujours bonnes pour eux.

TROIS STRATÉGIES QUI FONT UNE DIFFÉRENCE

Il existe de bonnes et de moins bonnes façons d'influencer son monde. Voici quelques normes éprouvées qui permettent de bien s'y prendre :

Stratégie n° 1 : Identifiez la situation dans laquelle vous ferez une différence. Quand êtes-vous en mesure de faire une différence ? Chaque fois que l'occasion se présentera ! Rappelez-vous que personne ne vous force à faire des choses extraordinaires. Si vos tentatives pour être un Fred deviennent pour vous une tâche écrasante, vous êtes voué à l'échec. Si vous faites une différence, c'est parce que, comme la plupart des Fred que j'ai rencontrés, vous le souhaitez et vous le pouvez.

Stratégie n° 2 : Ciblez les gens auprès de qui vous ferez une différence. Le facteur dénommé Fred semble déterminé à fournir un service exceptionnel à tous ses clients. Est-ce possible pour vous et moi ? Réponse : « Ça dépend. » Selon moi, il est possible de faire de l'excellent travail auprès de tous ceux qu'on sert, à la maison comme en affaires. Il ne fait aucun doute, cependant, qu'il y a des gens pour qui on a envie de faire un travail *extraordinaire*. Les gens les plus importants de notre vie méritent notre attention la meilleure :

- *Les clients.* Il m'aurait été facile d'écrire un livre portant sur le service à la clientèle et de me servir du facteur dénommé Fred comme illustration principale, mais je voulais que ce que j'ai appris en interagissant avec Fred et avec d'autres comme lui aille au-delà du marché, jusque dans chaque sphère des relations humaines. Je reconnais, toutefois, qu'il se peut que l'application la plus facile et la récompense la plus rapide consistent à servir vos clients comme Fred servait les siens. Vous gagnerez ainsi instantanément leur attention et, sous peu, leur dévouement inébranlable.
- *La famille.* Comment votre conjoint(e) réagirait-il ou elle si vous lui témoigniez le souci et le dévouement de Fred ? Et que dire de vos enfants ? Dans la vie, une des choses parmi les plus tristes consiste à savoir que quelqu'un nous aime mais d'en faire rarement l'expérience. Vous pouvez transformer des interactions et des événements familiaux ordinaires en instants et en expériences extraordinaires simplement en appliquant ces principes à la maison.
- *Le patron ou la patronne.* Aimeriez-vous travailler pour un patron ou une patronne incroyable ? Si c'est le cas, mettez-vous à traiter votre patron

ou patronne comme une personne incroyable. Faites des choses extraordinaires pour lui ou elle. Avec le temps, je parie que vous remarquerez une différence dans votre relation. Et si ce n'est pas le cas, le temps sera venu de chercher un nouveau patron ou une nouvelle patronne.

- *Les coéquipiers.* Les équipes dont le rendement est exceptionnel se composent d'équipiers dont le rendement l'est aussi. Quelqu'un doit se lancer en premier ; pourquoi pas vous ? Devenez le Fred de votre équipe ou de votre service, et remarquez la manière positive dont les gens seront influencés.
- *Les amis et les étrangers.* Que faites-vous pour enrichir la vie de ceux que vous connaissez et de ceux que vous ne connaissez pas ? La seule chose qui soit plus fantastique que faire l'expérience d'un « geste à la Fred » posé par quelqu'un que vous connaissez consiste à en faire l'expérience de la part d'un parfait étranger. Cela a pour effet de restaurer la foi dans le potentiel du comportement humain.

Stratégie n° 3 : Soyez la différence. Un peu de réflexion vous aidera à voir rapidement la différence que vous pouvez faire dans toute activité ou tout événement. Souvent, notre vie est si occupée et si stressante que nous n'avons pas le temps de considérer les différences qui enrichiraient ce que nous faisons pour autrui et qui y ajouteraient de la valeur. Cela signifie que nous devons alléger notre agenda afin de pouvoir prendre le temps de déterminer comment nous pouvons faire de nos actions ordinaires des actions extraordinaires. De la même manière que les athlètes se préparent à la compétition lors de rencontres préparatoires, ainsi nous devrions nous préparer à nos activités quotidiennes par une réflexion préparatoire.

Une fois qu'on connaît la différence qu'on peut faire, le défi à relever consiste à être celui ou celle qui fera cette différence. On ne saurait déléguer la responsabilité de faire une différence véritable. Il n'en tient qu'à soi de passer à l'action.

Quel type de différence ferez-vous aujourd'hui ?

★ Cinq ★

La réussite se bâtit sur les relations

On ajoute de la valeur à la vie des gens quand on leur accorde de la valeur.

— John C. Maxwell

Un soir, avant de faire ma présentation dans le cadre d'une conférence sur la vente, je découvris que le vice-président des ventes d'une grande société de fabrication de produits alimentaires et moi étions tous les deux des mordus de voitures.

« Lisez-vous *Auto Week ?* » me demanda-t-il.

À l'époque, je ne connaissais pas bien cette publication, mais après qu'il m'eut parlé de cette revue et de son contenu, je résolus en moi-même de m'y abonner.

Mon compagnon mordu de voitures avait un pas d'avance sur moi. Le lendemain matin, avant ma présentation, il me remit une fiche d'abonnement qu'il avait retirée de son numéro le plus récent.

Je fus frappé par la gentillesse de ce petit geste. Résultat : J'ai désormais recours à une technique comparable lorsque je parle de livres à des amis et à des clients. Si je découvre qu'il y a un excellent livre qu'ils n'ont pas lu, j'en commande un exemplaire et le leur fait parvenir avec mes compliments. Ainsi, nous en tirons tous les deux une grande satisfaction, de même que nous solidifions nos liens et que nous élargissons nos conversations.

Il s'agit là de toute une récompense en retour d'un simple geste visant à nouer une relation!

La réussite se bâtit une relation à la fois

Chaque jour, nous interagissons avec des dizaines de personnes. Souvent, ces interactions sont éphémères et laissent rarement un souvenir impérissable. Les Fred, par contre, ne se servent pas des gens comme d'un moyen pour arriver à leurs fins; ils utilisent leurs relations pour donner un fondement à leur réussite. Ils comprennent que tout résultat s'obtient au moyen de leurs interactions avec autrui. Ils deviennent donc des étudiants en psychologie sociale. Ils comprennent que les relations solides créent la loyauté, et constituent la base même des partenariats et du travail d'équipe.

Les meilleurs Fred se bâtissent des réseaux afin de développer des canaux de distribution pour leurs talents, et ils s'efforcent de bien travailler avec autrui, soit individuellement avec un client ou en équipe avec des collègues.

Rappelez-vous que la qualité d'une relation est directement liée au temps que vous y investissez. Veillez donc à consacrer à vos relations la meilleure partie du temps dont vous disposez.

LES FRED NOUENT DES RELATIONS – MÊME AVEC DES ENFANTS DE TROIS ANS

Les organisations de soins de santé intégrés et les organismes dispensateurs de services à tarifs préférentiels ont imposé des limites à la quantité et aux types de services qu'ils permettent aux fournisseurs de soins de santé de donner. En dépit de ces limites, il existe encore des professionnels des soins de santé exceptionnels qui se concentrent sur ce qu'ils peuvent faire plutôt que sur ce qu'ils ne peuvent pas faire. Compte tenu de toutes les plaintes qui sont émises concernant les soins de santé, on ne s'attend peut-être pas à trouver un exemple formidable d'un Fred dans ce domaine-là.

Pourtant, Dan, adjoint au médecin dans un cabinet de pédiatrie, en est un. Imaginez-vous travailler jour après jour auprès d'enfants malades !

Un jour, Darla, ma femme, amena notre fils Hunter, alors âgé de trois ans, se faire examiner par le médecin. Nous voulions nous assurer qu'en se heurtant contre la table basse de ses grands-parents il ne s'était pas cassé le nez. Hunter était assis par terre lorsque Dan entra dans la pièce. Après de joyeuses salutations, Dan se laissa tomber au sol juste à côté de lui avec un gros pouf.

Hunter l'observa d'un œil soupçonneux tout en mangeant des bretzels. « Hé, mon ami, je peux en avoir un ? » lui demanda Dan. Comme la plupart des enfants, Hunter en était venu à se méfier quelque peu de ce qu'il était appelé à vivre lors d'un examen médical. Rien d'étonnant donc à ce que Hunter ait écarquillé les yeux en voyant Dan plonger la main effrontément dans son sac pour en ressortir un bretzel.

Soudain, un large sourire se dessina sur le visage de mon fils. Dan se mit à «interagir» en termes médicaux – dans un langage normal, on dirait que Hunter et lui jouaient. Ils luttaient et faisaient les imbéciles, et Dan noua ensemble les lacets de Hunter. Lorsque ce dernier le constata, il tenta de marcher ainsi et, comme on pouvait s'y attendre, il trébucha. Il raffolait de ce jeu et riait aux éclats.

Au terme de plusieurs minutes de batifolage, Dan fut en mesure d'examiner un petit garçon tout à fait détendu. Hunter pensa probablement qu'il avait mal jugé la situation et qu'il ne devait pas réellement se trouver dans un cabinet médical, après tout.

Dan savait quoi faire. Non seulement fit-il son examen en suscitant le moins possible de protestations, mais encore il élimina les craintes d'un enfant de trois ans.

Voilà un exemple de la meilleure façon de nouer des relations à la Fred !

Les sept «façons d'être» nécessaires pour nouer des relations

Dans notre monde axé sur la technologie, il se peut qu'on considère le fait de nouer des relations comme une forme d'art qui s'est perdue. La plupart d'entre nous n'ont pas eu l'occasion d'apprendre comment nouer des relations avec autrui. Ce que nous avons appris, nous l'avons découvert en observant des modèles de comportement plutôt que par un effort conscient d'apprentissage.

Nous avons eu de la veine si nous avons eu de bons exemples à imiter en grandissant, et nous n'en avons pas eue si cela n'a pas été le cas.

Voulez-vous améliorer vos relations à la maison et au travail? Les principes suivants vous viendront assurément en aide.

Soyez vrai. Mis à part l'accent extraordinaire que Fred mettait sur ses clients, ce qu'il y avait de plus inspirant chez lui, c'était son originalité. Il était qui il était. Je n'ai jamais eu l'impression que Fred cherchait à m'impressionner en étant qui que ce soit d'autre que lui-même.

Cela est directement opposé à la sagesse qui prévaut dans notre culture actuelle, à savoir «fais semblant de l'être jusqu'à ce que tu le deviennes». L'idée consiste à devenir qui vous voulez être en agissant comme si vous l'étiez déjà. Le seul ennui dans cette stratégie, c'est que vous n'êtes pas ce que vous prétendez être!

Mettez à l'essai cette solution de rechange: Faites toujours de votre mieux pour être vous-même. Bien sûr, vous devriez chercher à vous améliorer, à essayer de nouvelles choses et à gagner de la valeur. Mais faites en sorte que ces gestes proviennent de ce que vous êtes, de ce en quoi vous croyez véritablement et de ce à quoi vous êtes consacré.

Pour nouer une relation, ce qu'il faut posséder, c'est la confiance. À son niveau le plus élémentaire, la confiance se bâtit sur le fait de croire que les gens sont bel et bien qui ils disent être.

Soyez intéressé (et non uniquement intéressant). Il se peut que les gens intéressants attirent l'attention, mais je crois que ce sont les gens *intéressés* qui attirent l'appréciation.

Lorsque je fis la connaissance de Fred, il se présenta brièvement, mais il mit l'accent sur le moyen pour lui de m'aider le mieux possible à répondre à mes besoins. Il me plut instantanément parce qu'il me témoigna un intérêt sincère, et non parce qu'il était intéressant (bien que j'aie découvert au fil du temps qu'il l'est indubitablement). Si Fred avait passé son temps à me dire en quoi il est un facteur exceptionnel, le résultat de notre conversation aurait été différent.

Les gens se sentent flattés lorsque vous leur exprimez le désir d'apprendre à mieux les connaître, non par curiosité morbide, mais dans le but de les aider et de les servir avec une plus grande efficacité. À mon avis, le fait d'apprécier les gens qu'on sert accroît la valeur du service qu'on leur rend.

Soyez un meilleur auditeur. Lorsque vous vous intéressez aux gens et que vous les écoutez, ils vous fournissent d'importants renseignements pratiques dont vous pouvez vous servir pour créer de la valeur. Par exemple, écoutez attentivement votre patron ou patronne, et vous apprendrez peut-être qu'il ou elle déteste lire de longues notes de service. Vous saurez dorénavant que vous pouvez améliorer votre relation professionnelle en faisant de brefs résumés. Ou encore, à l'heure des repas, informez-vous de la famille d'une cliente. Vous pourriez apprendre que son fils de quatorze ans a un passe-temps auquel s'adonne un de vos enfants. Le fait d'offrir d'échanger des renseignements sur cet intérêt commun vous permettra d'ajouter de la valeur et de la profondeur à cette relation.

Les gens se sentent flattés lorsqu'on fait un effort pour apprendre à les connaître et qu'on cherche à savoir comment mieux les servir. Le fait de comprendre et d'apprécier ce qu'ils veulent augmente la valeur de ce que vous pouvez leur apporter.

Soyez compréhensif. Si vous vous intéressez à autrui et que vous vous efforcez d'apprendre à vraiment les connaître en les écoutant, vous arriverez à mieux comprendre ce qu'ils ressentent. Il s'agit ici d'empathie. Le besoin d'être compris constitue un des plus grands besoins humains, mais trop souvent les gens qui nous connaissent ne souhaitent pas savoir ce que nous ressentons vraiment ou ne se donnent pas la peine d'essayer de le découvrir.

Il y a deux mille ans, un sage du nom de Philon le Juif a dit: « Soyez gentil. Tous ceux qu'on rencontre livrent un dur combat. » Les choses ont peu changé depuis. Son conseil constitue l'essence même de l'empathie au sens pratique.

Soyez honnête. Je résume toute stratégie d'affaires par cette idée simple: Dites ce que vous ferez, et faites ce que vous avez dit. Autrement dit, ne faites pas de promesses que vous ne sauriez tenir. Ne créez pas d'attentes que vous ne sauriez satisfaire. Évitez d'en mettre plein la vue et de promettre trop de choses. Soyez un homme, une femme, ou une organisation, qui tient parole. Voilà ce qu'on appelle l'intégrité.

Soyez utile. De petites choses font une grande différence. Cumulativement, beaucoup de petites choses en viennent à faire une énorme différence.

Il y a plusieurs années, mon ami Ken m'enseigna un moyen formidable de se mettre au service des étrangers. Si je vois une personne dans un groupe en train de prendre la photo des autres, je lui offre de prendre la photo afin que tous y figurent.

Même le fait de tenir la porte à quelqu'un indique la manifestation d'un comportement à la Fred. Ayez de bonnes manières, et les gens se souviendront de vous.

Soyez prompt. Le temps est ce dont beaucoup de gens ont en bien moins grande quantité que l'argent. Les aider à gagner du temps en étant prompts et efficaces est donc un cadeau de grande valeur.

AU-DELÀ DES INTERACTIONS

Voici un test : Quel pourcentage de vos interactions avec autrui est transactionnel par opposition à relationnel ?

Les interactions transactionnelles sont axées principalement sur les résultats, parfois même au détriment des relations. Les gens qui accordent plus de valeur aux résultats qu'aux relations sont souvent qualifiés de « directs ». C'est-à-dire qu'ils vont directement au résultat, donnant ainsi aux gens le sentiment de n'avoir aucune valeur et même d'être utilisés.

Les interactions relationnelles insistent sur l'importance de bien traiter les gens qui s'efforcent d'accomplir quelque chose. Ce type d'interaction n'amène pas à faire fi du résultat, mais à reconnaître que les moyens employés sont une partie importante des fins visées. Le facteur dénommé Fred était la preuve vivante du fait que la manière dont on livre le courrier influe sur la perception que les gens se font du résultat obtenu.

Les interactions n'ont pas toutes à être relationnelles. Il arrive parfois que le temps ou que la situation ne le permette tout simplement pas. Par exemple, en état d'urgence ou de crise, amener les gens à évacuer en toute sécurité un immeuble en proie aux flammes peut exiger qu'on donne des instructions directes et cassantes.

Jimmy Buffett a dit un jour (propos que je paraphrase ici): «Il faut pratiquement le même temps pour être quelqu'un de gentil qu'il en faut pour être un imbécile.»

Plus souvent qu'autrement, vous et moi pouvons arriver à être davantage comme Fred en prenant le temps de nous concentrer sur l'aspect relationnel de nos interactions. Il ne faut pas beaucoup plus de temps et d'efforts pour être intéressé et pour démontrer la valeur que nous souhaitons apporter aux autres, surtout à ceux de qui dépend notre réussite mutuelle.

Et voilà l'essence même de la façon de nouer des relations, tant dans le domaine professionnel que privé.

★ Six ★

Créez continuellement de la valeur pour autrui

Il existe deux types de personnes qui n'accomplissent jamais grand-chose au cours de leur vie. Il y a celle qui refuse de faire ce qu'on lui dit de faire, et il y a l'autre qui ne fait rien de plus que ce qu'on lui dit de faire.

— Andrew Carnegie

Au Moyen Âge, on croyait que l'alchimiste (quelqu'un qui pratiquait la chimie, la philosophie et la magie) était capable de changer les métaux de base en or. La science a démontré depuis qu'il est impossible de changer du fer en or. Mais ce que la plupart des gens n'ont pas découvert, c'est qu'il est possible de changer les idées les plus ordinaires en idées de grande valeur.

Le facteur dénommé Fred est un alchimiste des temps modernes, et vous pouvez apprendre à en être un vous aussi.

On demanda un jour à un restaurateur quel était le secret de sa réussite. Il répondit qu'il avait eu le privilège de travailler dans la cuisine d'un grand restaurant européen. Là, il avait appris que la clef de la grandeur consistait à tout rendre aussi bon que possible, qu'il s'agisse d'une entrée complexe ou d'un simple plat d'accompagnement.

« Si vous servez des pommes frites, dit-il, veillez à ce que ce soit les meilleures pommes frites du monde. »

Les Fred créent une nouvelle valeur ou ajoutent de la valeur au travail qu'ils font. Ils savent aussi qu'en faisant quelque chose – soit pour un client ou pour un collègue – qui ne fournit aucune valeur, cela risque de ne produire pour résultat qu'une perte de temps et d'énergie.

Les Fred rivalisent avec succès en offrant de meilleures idées, de meilleurs produits et de meilleurs services que la concurrence. Ils font plus que parler de « valeur ajoutée » ; ils la fournissent.

Les meilleurs Fred sont de véritables maîtres de l'art de rendre extraordinaires des produits ou des responsabilités professionnelles et des services bien ordinaires. Ce sont des alchimistes du monde réel qui pratiquent l'art et la science de « la création de valeur ».

Les Fred créent une valeur supplémentaire en faisant plus que le nécessaire et en surpassant nos attentes – la plupart du temps sans se faire payer davantage.

J'ai déjà eu pour client un hôpital dont le personnel s'était engagé à améliorer ses relations avec les patients. Une petite idée fit une grande différence : Quand des patients ou des visiteurs demandaient leur chemin, plutôt que de simplement le leur indiquer, le membre du personnel concerné les escortait, surtout lorsque les gens se montraient confus ou perplexes.

Quiconque doit se rendre dans un hôpital, que ce soit à titre de patient ou de visiteur, risque de se retrouver en proie à l'incertitude. Le fait d'avoir une escorte personnelle a pour effet de soulager les gens d'un stress additionnel dont ils n'ont nul besoin. Le personnel de l'hôpital fournissait donc aux gens une valeur supplémentaire en les soulageant d'un fardeau.

Un cours intensif sur l'art d'ajouter de la valeur

Bien que petit, le présent livre est investi d'une grande mission : Vous aider à donner du sens à votre vie au-delà de tout ce que vous auriez pu imaginer ! Les pages qui suivent renferment certaines des idées parmi les plus importantes que je communiquerai. Êtes-vous prêt à apprendre à devenir quelqu'un d'une valeur incroyable pour les autres ? Voici comment cela se fait :

1. Dites la vérité. La vérité semble se faire de plus en plus rare. Sur le marché, nous nous sommes habitués à nous faire dire ce que d'autres pensent que nous voulons entendre plutôt que ce qui se passe réellement. Un jour que je vérifiais des délais de livraison, on s'engagea à me faire parvenir mon colis le lendemain « à la première heure ». En fin de journée, le lendemain, le colis n'était toujours pas arrivé.

Le fait de dire la vérité devrait constituer un principe fondamental, et non une occasion d'ajouter de la valeur. Un philosophe a fait remarquer un jour que, si l'honnêteté n'existait pas, quelqu'un l'inventerait à titre de meilleur moyen de faire fortune. L'ironie dans tout cela, c'est que la vérité se fait si rare de nos jours qu'on y accorde une plus grande valeur encore que par le passé.

2. Pratiquez le pouvoir de la personnalité. Je venais tout juste de finir de manger à la terrasse d'un de mes restaurants italiens préférés à Denver. Mon serveur était gentil, mais pas exceptionnel. J'avais remarqué un peu plus loin un homme plus vieux qui remplissait des verres d'eau et qui conversait avec les clients. Tandis que je réglais l'addition à ma table, il s'approcha de moi pour voir si je voulais qu'il remplisse mon verre de nouveau. C'est dans un enthousiasme sincère qu'il posa la main légèrement sur mon épaule et me dit : « Nous sommes heureux que vous soyez venu aujourd'hui. »

Cette brève remarque apporta une fin extraordinaire à une expérience gastronomique qui, autrement, aurait été ordinaire. Ce que je vécus de première main, c'est le pouvoir de la personnalité, à savoir ce qui se produit quand on donne de soi-même aux autres avec sincérité et enthousiasme. En intégrant sa propre personnalité au fait de remplir des verres d'eau et de bavarder avec les gens, cet homme avait changé ses tâches banales en grand art.

3. Attirez par le savoir-faire. Que faites-vous pour ajouter une touche artistique à vos produits ou à vos services ? Il peut s'agir de quelque chose d'aussi simple qu'une signature unique, ou d'aussi important qu'une amélioration majeure apportée à un emballage ou à un design. Nous sommes attirés par ce qui est attrayant, non seulement chez les gens, mais encore dans les produits, les services, l'architecture et tous les courants de la conception.

Les Fred prêtent attention à l'apparence, non parce que les apparences sont plus importantes que la substance, mais parce qu'elles comptent. Ce qui a beaucoup de valeur mais qui est mal présenté perd de la valeur. Le contraire est aussi vrai, car on accroît la valeur des choses en les rendant agréables du point de vue esthétique.

4. Comblez les besoins à l'avance. Il s'agit du pouvoir de l'anticipation. Avez-vous déjà loué une voiture, reçu des directives pour atteindre votre destination, pour ensuite vous égarer en peu de temps ? Ne serait-ce pas agréable si au comptoir de location quelqu'un ayant la mentalité d'un Fred vous donnait par écrit son numéro de ligne directe pour que vous puissiez l'appeler à l'aide de votre téléphone cellulaire si vous vous égariez ?

Si vous savez que vos voisins partent en vacances la semaine prochaine, pourquoi ne pas leur offrir de ramasser leur courrier ou d'arroser leurs plantes pendant leur absence ? Les gens oublient souvent les détails qui doivent être réglés jusqu'à la toute dernière heure. Prévoir des moyens de rendre service à vos voisins pendant leur absence constitue un geste magnanime qui créera une grande valeur.

5. Ajoutez « de bonnes choses ». Réfléchissez à votre poste actuel. Y a-t-il quoi que ce soit que vous puissiez ajouter au vécu de vos coéquipiers ou de vos clients qui rendrait leur vie plus agréable ?

Voici certaines choses qui ajouteront de la valeur, c'est garanti, quel que soit votre produit, votre service ou votre travail :

- *L'agrément :* Que pouvez-vous faire pour mettre un peu de piquant dans la journée de quelqu'un ? Il peut s'agir de quelque chose d'aussi simple que de faire une bonne blague. Les blagues suscitent les sourires et les rires, et redonnent de l'entrain pour le reste de la journée. J'avais l'habitude d'apporter un sac de bonbons à bord des avions pour les enfants, les agents de bord et quiconque avait envie d'une sucrerie. J'ai des amis qui savent faire des tours de magie tout simples. Il leur arrive d'en faire juste pour mettre le sourire aux lèvres d'une personne. D'autres fois, ils font de la magie pour aider à conclure des ventes dans les six chiffres. Ils connaissent le pouvoir que renferme le fait d'agrémenter un peu les choses.

- *L'enthousiasme:* Considérez l'enthousiasme comme un mélange d'émotion positive et d'énergie (il ne s'agit pas ici d'une définition scientifique ou tirée du dictionnaire). L'enthousiasme rend extraordinaires les événements, les processus et les services bien ordinaires.
- *L'humour:* Le rire est un bon remède pour l'âme. Quel produit ou service pourrait tirer avantage d'une cuillerée de remède pour l'âme? Même si votre produit ou votre service est de nature plutôt sérieuse – et le fait de recevoir son courrier est, pour la plupart des gens, quelque chose de très sérieux –, vous n'êtes pas obligé de vous prendre au sérieux.

6. Soustrayez « les mauvaises choses ». Qu'est-ce qui vous ennuie ou vous irrite le plus? Ne serait-ce pas formidable si d'autres personnes étaient assez vigilantes pour remarquer ce que sont ces sujets d'irritation et, dans la mesure du possible, s'ils pouvaient les réduire ou les éliminer pour vous? Voilà ce que j'entends par « soustraire "les mauvaises choses" ».

Bien entendu, ce qui est mauvais pour une personne ne l'est pas forcément pour une autre. Il importe de savoir qu'il est préférable que les choses que vous soustrayez le soient effectivement.

Qu'est-ce qui constitue de mauvaises choses pour la majorité d'entre nous la plupart du temps ? Voici les pires de ces mauvaises choses :

- *L'attente.* Qui aime attendre ? Peu de gens. Bien que l'attente puisse produire en nous la patience, la majorité d'entre nous obtiennent beaucoup plus de pratique dans ce domaine qu'ils ne le voudraient. Ne raffolez-vous pas des gens diligents ? Cela ne vous plaît-il pas lorsque votre rendez-vous commence et se termine à l'heure ? N'est-il pas rafraîchissant de voir ceux qui sont au service des autres agir avec un sentiment d'urgence, et en n'abusant pas de votre temps ? Les Fred réussissent bien à minimiser ou à éliminer l'attente de leurs clients et de leurs collègues.
- *Les défauts.* Il est vrai que la perfection n'est pas de ce monde, que l'imperfection fait partie de la nature des choses. Mais quand on *paie* pour que quelque chose soit en bon état, il est exaspérant d'y constater un défaut. La simple livraison d'un meuble peut faire passer de l'enthousiasme que suscite son arrivée à la contrariété du fait qu'il est éraflé à une extrémité parce qu'un livreur s'est montré négligent. Les Fred s'efforcent de faire leur travail et de fournir leurs services à la perfection.
- *Les erreurs.* Les défauts sont aux choses ce que les erreurs sont aux processus. Comme il est

contrariant que quelqu'un d'autre commette une erreur, mais que ce soit vous qui deviez en payer les conséquences. (« Je suis désolé, madame, mais quelqu'un du bureau a perdu votre demande d'emploi. Je vais devoir vous demander de nous la faire parvenir de nouveau. ») Voici une des choses parmi les plus efficaces qu'on puisse faire pour atteindre le niveau de savoir-faire de Fred : *Résoudre un problème qu'on n'a pas créé.* C'est-à-dire ? Réglez les problèmes des gens, même si ce n'est pas vous qui avez commis l'erreur. (« Je suis désolé, madame, mais quelqu'un a perdu votre demande d'emploi en cours de traitement. Je serai heureux de reprendre vos renseignements au téléphone pour vous épargner la peine de devoir nous soumettre votre demande de nouveau. ») Il n'y a rien de glorieux dans le fait de passer pour quelqu'un qui détecte les problèmes, le monde raffole plutôt de ceux qui règlent les problèmes. Les Fred assument la responsabilité de régler les problèmes et de corriger les erreurs, même s'ils n'en sont pas la cause initiale.

- *L'irritation et la frustration.* Peut-on réellement éliminer ces deux émotions négatives chez quelqu'un ? Indirectement, il est possible de susciter des sentiments positifs chez les autres. Au service à la clientèle d'une compagnie d'assurances, on m'avait fait des réponses de Normand. J'étais si en colère que j'ai informé ma principale personne ressource de ce que, dès que ma police expirerait, je ne ferais *jamais plus* affaire avec sa compagnie ! De toute évidence, l'employé en question ne transmit pas l'information. Lorsque ma police expira, une femme du nom de Theresa m'appela pour régler le renouvellement de ma police. J'étais furieux ! « Mon dossier n'indique-t-il pas quelle expérience horrible et pourrie j'ai faite avec votre compagnie ? lui demandai-je. Avez-vous la moindre idée de toute l'irritation et de toute la frustration que j'ai pu éprouver chaque fois que j'ai essayé de faire affaire avec votre compagnie par le passé ? » Sur ce, Theresa fit une pause, puis me dit : « Je suis vraiment désolée, M. Sanborn. J'ignore ce que vous avez vécu dans le passé. Mais je vous promets ceci : Si vous restez avec nous, je me chargerai personnellement de votre compte, et vous ne serez jamais plus déçu. » C'est ce que je fis, et elle tint promesse. Les Fred travaillent dur pour minimiser chez autrui les sources d'irritation et de frustration, et pour maximiser les sentiments positifs.

- *La désinformation.* Soustrayez autant de cela que possible. Si vous ignorez la réponse à une question, dites-le. Et s'il y a une raison à votre ignorance, expliquez-en au moins le pourquoi et ce que vous pouvez offrir en matière d'informations justes. Si personne n'aime les mauvaises nouvelles, il existe néanmoins quelque chose de pire : de bonnes nouvelles qui ne sont pas tout à fait vraies. On se fait des idées et on se crée des attentes en obtenant des informations auprès des gens, puis nos espoirs se brisent contre les rochers de la réalité. Les Fred ne font pas dans la désinformation. Ils sont honnêtes. Quand ils ignorent la réponse à une question, ils le disent et font tout en leur pouvoir pour y trouver la bonne réponse.

7. *Simplifiez.* Il s'agit ici d'une autre superbe valeur « créée ». Facilitez les choses aux gens qui ont besoin d'obtenir quelque chose de vous. Éliminez les chinoiseries administratives et la bureaucratie abrutissante. N'enfreignez aucune loi et ne faites rien d'immoral, mais pensez aux systèmes dont vous faites partie. Vous savez comment les choses fonctionnent. Quels sont les raccourcis à emprunter ? Que sait un initié – en l'occurrence vous – de ce qui pourrait bénéficier à un profane ?

Si vous souhaitez mieux servir les gens, servez-vous de vos connaissances et de votre expertise pour les aider à comprendre ce qui semble être une situation complexe et renversante.

Si vous deviez téléphoner au comptoir d'assistance d'un fabricant d'ordinateurs parce que vos tentatives pour installer votre nouvel ordinateur vous laissaient totalement perplexe, ne souhaiteriez-vous pas vous entretenir avec un Fred ? Un Fred entamerait probablement la discussion en vous disant : « Je sais combien tout ça peut sembler embrouillé, mais je vais vous aider à vous mettre debout et à vous lancer dans la course rapidement », puis il se mettrait à simplifier la situation. Une personne n'étant pas semblable à Fred pourrait se comporter de diverses manières, allant de l'automate qui donne des réponses codées au type tout à fait condescendant.

8. Améliorez les choses. Il s'agit ici de « faire mieux, de multiplier la valeur déjà existante ». Faites ce que vous avez toujours fait, mais faites-le mieux que jamais. Si vous adoptez cette simple stratégie, d'autres le remarqueront. En 1869, H. J. Heinz dit quelque chose qui décrit bien le but de tout Fred : « Faire extraordinairement bien la chose ordinaire. »

Réfléchissez à toutes les choses peu communes que vous pourriez faire singulièrement bien. Une ou deux phrases de plus dans un courriel feraient-elles la différence entre la transmission de renseignements simplement informatifs et celle d'autres vraiment utiles ? Quel type de style pourriez-vous donner à votre manière de parler au téléphone ? Êtes-vous capable de convertir un interlocuteur qui appelle pour se plaindre en un autre client convaincu, non seulement parce que vous avez réglé le problème en question, mais encore en raison de la manière dont vous l'avez réglé ?

Les Fred recherchent toujours des moyens, petits et grands, d'améliorer la qualité de leur travail et de leurs interactions.

9. Surprenez les gens. Après avoir reçu un grand groupe d'enfants et de parents pour le troisième anniversaire de notre fils Hunter, ma femme et moi étions épuisés. Nous chargeâmes l'Explorer, avec grand-maman à bord également, et sortîmes dîner au restaurant. Il y avait une longue file à l'un de nos deux restaurants préférés, si bien que nous aboutîmes dans un restaurant Perkins par défaut. Ce lieu était tout ce qu'il y avait de plus « ordinaire ». Le bâtiment était vieux, l'intérieur avait besoin d'être rafraîchi et le menu était élémentaire. La seule chose qu'il y avait de surprenant, c'était le service.

Nous avions pour serveuse une jeune femme tout enjouée. En prenant notre commande, elle remarqua les épaules tombantes des adultes et entendit Hunter se plaindre d'avoir faim. Elle promit alors de nous amener nos plats sous peu.

Quelques minutes plus tard, elle revint avec sous le bras un singe Curious George en peluche. Or, mon fils raffole de Curious George. « Je viens de gagner cet animal en peluche dont je ne sais trop quoi faire, nous dit notre serveuse. J'ai pensé qu'il plairait peut-être à votre fils. »

Le visage de Hunter s'illumina en recevant ce cadeau inattendu. Nous la remerciâmes et l'informâmes de ce que c'était son anniversaire. « Eh bien, bonne fête alors ! » lui lança-t-elle avant de repartir chercher nos commandes.

La nourriture était très bonne, et l'addition ordinaire. Mais le pourboire que je laissai était exceptionnel, car notre serveuse le méritait (bien que je doute fort que cela ait été son motif secret). Par un geste attentionné, une personne gentille nous avait complètement surpris et nous avait remonté le moral.

10. Divertissez les gens. « Rassemblez-vous autour, tous autant que vous êtes, regardez et apprenez ! cria le jeune homme derrière la table de marbre. Je suis le Roi du Caramel ! » Pendant plusieurs minutes encore, il narra sa fabrication d'une platée de caramel, se servant d'une longue palette pour mélanger et brasser. L'arôme était invitant et la démonstration informative. Mais ce fut le spectacle du Roi du Caramel qui retint notre attention.

Si on me demandait d'aller regarder faire du caramel, disons-le, je ne me déplacerais pas. Mais notre maître du caramel savait quelque chose au sujet du comportement humain que tous les Fred savent: Les gens raffolent de se faire divertir. Nous prêtons plus d'attention, nous apprenons plus vite et nous nous engageons davantage quand on nous divertit. Je ne parle pas ici d'un divertissement idiot. La performance du Roi du Caramel avait sa raison d'être: Il voulait vendre plus de caramel. Ce qu'il fit, d'ailleurs.

ALLEZ FAIRE DE LA MAGIE

Tout ce qu'il faut pour devenir alchimiste, ce sont les ingrédients ordinaires des heures et des minutes de chaque jour. La valeur de ces minutes se détermine en fonction de l'utilisation qu'on en fait. La plupart des gens pensent que, pour créer de la valeur, il faut y consacrer de l'argent, mais les Fred savent que tout ce qu'il faut, c'est un brin d'imagination.

Mettez en application les techniques et les principes que vous avez appris dans le chapitre. Par la suite, à l'instar de Fred, vous deviendrez un alchimiste des temps modernes, affairé à changer les instants ordinaires de votre journée en or pur.

★ Sept ★

Réinventez-vous régulièrement

Un employé triste quitta le poste qu'il occupait depuis plusieurs années
La plupart de ses journées de travail étaient semblables à la journée précédente
Il ne déplaisait pas à ses collègues, mais il ne leur manquera pas non plus
Et même s'il gagnait bien sa vie, il se sentait plutôt pauvre.
Il a toujours fait ce pour quoi on le payait et rien de plus
Ce qu'il faisait sans le moindre plaisir.
Il faisait son travail comme il vivait sa vie :
Il le faisait comme il avait toujours été fait.

— Mark Sanborn

Bien que tout changement ne soit pas forcément bon, ne rien changer ne peut pas avoir que du bon non plus. Comme le vieil adage le précise, la seule différence qui existe entre l'ornière et la tombe, c'est sa profondeur.

Les Fred savent qu'une des choses parmi les plus enthousiasmantes de la vie est le fait que nous nous réveillons chaque jour avec la capacité de nous réinventer. Peu importe ce qui s'est produit hier, aujourd'hui est un jour nouveau. S'il est vrai que nous ne pouvons nier les luttes et les revers, il est tout aussi vrai que nous ne devrions pas nous laisser freiner par eux.

Vous n'avez jamais été un Fred, dites-vous? Mais c'est de l'histoire ancienne! C'était hier. Aujourd'hui, vous pouvez entamer le processus qui vous amènera à devenir la personne que vous voulez être. Si vous espérez continuer de grandir et de progresser, tout ce que vous avez à faire consiste à saisir l'occasion de vous réinventer. Vous y arriverez en posant chaque jour des actions – petites et grandes – qui démontreront votre engagement envers la nouvelle version améliorée de vous-même. Sans quoi, vous vous ferez distancer dans un monde compétitif.

FAITES-VOUS GRANDIR, AINSI QUE VOTRE VALEUR

Le meilleur moyen de faire grandir votre valeur consiste à vous faire grandir vous-même. Devenez une éponge qui absorbe les idées. Prenez le temps de vraiment réfléchir à ce que vous faites et aux raisons qui vous y poussent. Nous réglons si souvent notre vie en « pilotage automatique », ce qui nous rend incapables de faire la distinction entre *activité* et *réalisation*.

Plus on grandit en tant que personne, plus on est dans l'obligation de partager avec autrui. Considérez votre croissance personnelle comme la pâte à modeler qui sert à vous réinventer. Plus vous aurez de pâte à votre disposition, plus grande et plus détaillée sera la sculpture que vous pourrez créer. Plus vous en apprendrez – il ne s'agit pas ici de connaissances abstraites, mais pratiques –, plus vous disposerez de matières premières pour donner forme à votre œuvre d'art personnelle.

Vous augmenterez votre stature en augmentant vos capacités mentales, spirituelles et physiques. En grandissant, vous établirez de nouveaux liens avec des gens et des idées qui vous permettront de devenir un maître artisan de la valeur.

Laissez-vous motiver par des raisons évidentes

Il ne vous sera pas d'une grande utilité de vous pousser à vous réinventer et à vous améliorer en faisant de votre mieux. Le fait de se sentir poussé à faire quelque chose suggère une compulsion presque malsaine à le faire parce qu'on le devrait, et non parce qu'on en a envie. Agir par obligation est un bon moyen de court-circuiter le processus pour devenir un Fred.

Mon facteur, Fred, faisait un travail exceptionnel parce qu'il avait du plaisir à le faire. Qu'est-ce qui me l'indiquait ? Le sourire sur ses lèvres et toute son attitude. Il agissait simplement comme quelqu'un d'heureux. Il s'amusait, plutôt que de se conformer à un quelconque mandat professionnel.

Le fait d'avoir pour but de devenir davantage comme Fred dans votre travail ne vous motivera pas ; le fait d'avoir une raison irrésistible – une passion ou un but – de vouloir lui ressembler davantage, voilà qui vous motivera. Ces raisons irrésistibles peuvent aller de l'effet positif que vous produirez sur les autres à la joie de faire un travail extraordinaire, en passant par le fait d'être un modèle à imiter. Par ailleurs, quelles que soient les raisons que vous identifierez, permettez-leur de susciter ce qu'il y a de meilleur en vous.

Tablez sur vos expériences de vie

Au cours de votre vie, il est fort probable que vous ayez vu et vécu des choses phénoménales. Et bien que vous n'ayez pas exactement oublié ces choses, il ne vous arrive probablement pas souvent de les rappeler à votre conscience et de les utiliser de manière productive.

Si vous souhaitez vous réinventer et vous améliorer en vue de l'avenir, passez du temps à réfléchir à votre passé. Quelles sont les leçons les plus importantes que vous avez apprises ? Que vous est-il déjà arrivé de désirer ardemment accomplir, mais que vous n'avez jamais tenté d'accomplir ? Quelles personnes ont le plus influé sur votre vie, et quelles leçons avez-vous apprises auprès d'elles ? Qui admirez-vous le plus ? Quelles compétences et quels traits de caractère discernez-vous en elles que vous aimeriez acquérir pour vous-même ?

Achetez un petit journal intime. Inscrivez-y vos réponses à ces questions. Notez-y également ce que vous vous remémorez et apprenez chaque jour. Capturez les idées qui restent trop souvent enfouies dans le riche magasin de votre esprit, et tablez sur elles.

Améliorez votre « QI »

Il ne suffit pas d'avoir simplement de bonnes idées, il reste encore à en faire quelque chose.

Votre capacité d'être un Fred dépend de votre QI. Vous ne devriez cependant pas vous décourager si vous ne faites pas partie de la catégorie des Einstein. Par *QI*, j'entends « quotient d'intégration ». Dans ce cas-ci, le QI représente la différence entre le fait d'avoir une bonne idée et celui de l'intégrer à sa vie de manière pratique.

Combien de bonnes idées tombent dans l'oubli parce que vous ne passez pas à l'action pour les concrétiser ? Savoir qu'on aurait pu ensoleiller la journée de quelqu'un et l'avoir ensoleillée concrètement sont deux choses bien différentes.

Un des moyens d'améliorer votre QI consiste à noter de bonnes idées lorsqu'elles vous viennent à l'esprit, pour ensuite les intégrer à votre liste de choses à faire. Il arrive parfois que l'inaction s'explique par une piètre mémoire, et il est plus facile de se rappeler ce qu'on consigne par écrit et d'agir en conséquence.

AMÉLIOREZ CE QU'IL Y A DE MEILLEUR

On est environné de bonnes idées. Cherchez donc à découvrir ce que font les meilleurs d'entre nous. Observez et apprenez. Puis, adaptez et appliquez.

Cette dernière affirmation est cruciale. Si vous ne faites que copier ce que font d'autres personnes capables, vous ne ferez les choses qu'aussi bien qu'elles. La clef consiste à adapter, à prendre les bonnes idées qui proviennent de toutes les sources, pour ensuite les mettre en application selon votre propre flair particulier.

Vous pouvez apprendre des leçons auprès des autres Fred du monde: les gens d'autres services, d'autres organisations, d'autres secteurs d'activité, et même d'autres pays. Même si les idées que vous recevez peuvent ne pas vous convenir exactement, moyennant une certaine personnalisation vous parviendrez à passer de la simple imitation à la véritable innovation.

METTEZ À EXÉCUTION LE PLAN «UNE ACTION PAR JOUR»

Bonne nouvelle: Il n'est pas nécessaire que vous fassiez tout de manière extraordinaire. Si vous tentiez d'y arriver, vous vous enliseriez dans un bourbier avant même de quitter la maison le matin.

Faire de l'ordinaire quelque chose d'extraordinaire se réalise une action à la fois. Par conséquent, si vous faites ne serait-ce qu'une chose extraordinaire par jour, que ce soit à la maison ou au travail, sept jours par semaine, cinquante-deux semaines par année (même durant vos vacances), votre vie ne tardera pas à devenir un registre de l'extraordinaire.

Une action extraordinaire par jour n'a rien d'écrasant; c'est parfaitement faisable. Une douzaine d'actions par jour? Irréaliste. Mais une par jour? Tout le monde le peut! Commencez par ce que vous savez pouvoir faire. Tandis que vous continuerez à vous réinventer, ajoutez à votre stratégie d'une action par jour en faisant davantage. Mais bâtissez sur cette pratique toute simple.

Réfléchissez-y. Tout ce qu'il faut, c'est:

- Une remarque attentionnée par jour, faite à un être cher, afin d'enrichir une relation;
- Une tâche exceptionnellement bien accomplie par jour, afin d'obtenir le bon type d'attention de la part de votre patron ou patronne; ou
- Un geste de serviabilité inattendu par jour, afin de réorienter la vie de quelqu'un dans une direction positive.
- Au fil du temps, le principe d'une action par jour changera votre vie mondaine en une vie extraordinaire – et il en fera autant pour d'autres aussi.

Rivalisez... avec vous-même!

Se comparer aux autres est monnaie courante. Nous souhaitons savoir si nous sommes mieux ou pires qu'eux, plus ou moins compétents qu'eux, plus ou moins rapides qu'eux. Il n'y a rien de répréhensible en cela, mais cette quête risque de nous rendre fous. En réalité, il y aura toujours des gens qui en accompliront plus ou moins que vous. On peut truquer le jeu des comparaisons simplement en choisissant soigneusement à qui ou à quoi on se compare.

Il est beaucoup plus productif – et amusant – de se comparer à soi-même et de rivaliser avec soi-même. Le but est de s'améliorer constamment. Se réinventer constitue un changement positif. Évaluez là où vous en êtes rendu par rapport à la distance que vous avez parcourue jusqu'ici et à celle que vous voulez parcourir encore.

Élaborez un plan qui vous aidera à devenir comme Fred. Ne perdez pas de vue les choses ordinaires que vous vous efforcez de rendre extraordinaires, ainsi que des résultats qu'elles produisent. Recherchez sans cesse des moyens de faire passer votre jeu au niveau supérieur.

L'EFFET D'ENTRAÎNEMENT

Je venais tout juste de terminer de m'adresser à un groupe au Dôme Georgia d'Atlanta. IBM, l'hôte de l'événement spécial, avait loué le dôme. Les cent participants, tous concepteurs de sites Web, semblaient avoir pris plaisir à m'écouter.

Après que j'eus terminé de m'entretenir avec quelques membres de l'auditoire, un homme se tenant près de l'entrée du terrain s'approcha de moi. Me tendant la main, il me dit: «Je suis un des conducteurs d'autobus. On ne nous a pas vraiment invités à assister à votre présentation, mais je me suis tenu à l'arrière quand même. J'aime écouter des conférenciers et découvrir de nouvelles idées. Je tiens à vous faire savoir que vous m'avez réellement encouragé. Vous savez, je suis un inventeur. J'ai inventé un nouveau coussin pour siège que les gens peuvent utiliser lorsqu'ils assistent à des événements dans des stades exactement comme celui-ci. Et je suis d'accord avec pratiquement tout ce que vous avez dit. Vos propos m'ont encouragé à continuer d'essayer.»

La société qui tenait l'événement était très heureuse de ma présentation de ce jour-là. Mais ma plus grande récompense ne me vint pas de cela ni des honoraires qu'on me versa, mais des commentaires que me fit une personne reconnaissante qui n'était pas même censée se trouver parmi les auditeurs.

Est-il possible de faire grande impression sur les gens sans même le savoir ? Nous devons avoir conscience non seulement des effets principaux que produisent les choses que nous faisons, mais encore de leurs conséquences secondaires, qui constituent un effet d'entraînement qui touche beaucoup plus de gens que ceux qui appartiennent à notre entourage immédiat.

Sait-on jamais qui nous observe et nous écoute ? Pour paraphraser Shakespeare, je dirai que notre vie se joue sur une scène.

Les Fred tirent de la satisfaction de leur passion pour la valeur. Ils se distinguent non par les résultats qu'ils obtiennent, mais plutôt par l'influence et l'incidence qu'ils exercent sur autrui.

Bob Briner, ancien président de ProServe et auteur de plusieurs livres, se distingua en menant une vie de service. Il s'était donné pour mission de demander à ses clients, à ses amis et à ses collègues en quoi il pouvait leur rendre service. Il ne s'agissait pas là d'une question creuse ; il se démenait vraiment à leur service.

Quelques jours à peine avant que Bob succombe au cancer, le musicien Michael W. Smith alla lui rendre visite. Bien que fatigué et fragile, Bob trouva la force de poser une dernière question à son visiteur : « En quoi puis-je vous rendre service ? »

Bob Briner était un Fred.

Qu'il s'agisse de leaders officiels, d'entrepreneurs, d'employés, des membres d'une famille ou d'amis, les Fred influent profondément sur autrui en raison de l'exemple qu'ils donnent. Leurs efforts inspirent les gens, tant directement qu'indirectement. Voilà, à ce que je sache, une des meilleures raisons de chercher continuellement à se réinventer.

TROISIÈME PARTIE

DÉVELOPPER DE NOUVEAUX FRED

À moins de quelques kilomètres de chez moi se trouvent deux quincailleries gigantesques qui sont connues pour leurs bas prix. Chacune possède un choix étonnant, mais le service qu'on y reçoit est bien ordinaire. Voilà pourquoi je vais rarement dans l'une ou dans l'autre.

Près de chez moi se trouve aussi une plus petite quincaillerie, dont la superficie fait probablement un quart de celle de ses rivaux géants. Bien que les prix de celle-là soient concurrentiels, je ne m'attends jamais à ce qu'ils soient les plus bas.

Mais cela ne m'ennuie pas, car il y a des Fred en service dans chaque allée.

Les travaux de rénovation sont un défi pour moi. Je n'ai pas tant besoin de pièces pour le système d'arrosage ou de rondelles d'étanchéité pour la plomberie que de solutions pour des catastrophes domestiques.

Quand on entre dans la plus petite quincaillerie, on y trouve près de la porte des employés très compétents et très serviables. S'ils ignorent la réponse à vos questions, ils savent qui la connaîtra. Ils ne se contentent pas de vous dire où trouver les trucs que vous cherchez, mais encore ils vous y conduisent. Et ils vous posent habituellement assez de questions pour voir si ce que vous prévoyez acheter correspond réellement à vos besoins.

Ce détaillant illustre bien ce qui se produit lorsqu'on n'engage dans une société que des employés de type Fred.

Il se peut qu'avoir des effectifs comme Fred à tous les niveaux de votre organisation soit un des secrets les mieux gardés pour qu'elle reste concurrentielle.

Comment donc les recruter? Dans ce monde, où s'exerce une grande rotation du personnel et où la fidélisation de la clientèle est une véritable gageure, développer des Fred devrait compter au nombre des grandes priorités de toute organisation. Avoir des Fred pour coéquipiers et dirigeants au sein de votre organisation permettra à cette dernière de se distinguer à titre de société tout à fait extraordinaire.

Toutes les compagnies ont accès aux mêmes renseignements, consultants, formations, systèmes de rémunération, à-côtés et avantages sociaux. Comment expliquer alors que certaines prennent de l'essor tandis que d'autres font fiasco? La différence ne se situe pas au niveau des choses – processus, fonctions et structures –, mais à celui des gens. Ceux qui ne sont pas inspirés accomplissent rarement un travail inspiré.

Au sein d'une société, les gens passionnés sont différents. Les choses ordinaires, ils les font extraordinairement bien. Même si certaines de leurs idées sont moyennes, elles demeurent utiles.

Les clients n'ont pas de relations avec les compagnies, ils entrent en relation avec des personnes. Les employés passionnés, qu'il s'agisse de vendeurs, de techniciens ou de préposés du service, démontrent continuellement leur engagement envers les clients. Pour ce faire, ils manifestent la passion que suscite en eux ce qu'ils font. Résultat: Les Fred en accomplissent davantage que leurs collègues blasés et sont plus en mesure qu'eux de bien relever les défis liés aux ressources limitées.

Il n'y a rien d'étonnant non plus à ce que les Fred soient en général plus heureux que les autres, car les gens qui font du bon travail se sentent bien, et ceux qui font un travail exceptionnel se sentent, en fait, *exceptionnellement bien*. La réalisation de soi contribue grandement à la satisfaction de soi.

Comment développer des Fred ? Dans les quatre prochains chapitres, je vous l'expliquerai en détail :

F – Faire connaissance

R – Récompenser

E – Éduquer

D – Démontrer

Simple ? Oui. Facile ? Non.

Mais qui a dit qu'il serait facile d'être extraordinaire, ou de trouver et de développer des gens extraordinaires ?

★ Huit ★

Faire connaissance

Il existe quelque chose de beaucoup plus singulier, quelque chose de bien plus fin, quelque chose de plus rare que la capacité. C'est la capacité de reconnaître la capacité.

— Elbert Hubbard

Les Fred naissent-ils ainsi ou le deviennent-ils? Une chose est certaine, il y a des gens qui naissent prédisposés à être comme Fred. D'autres peuvent débuter dans la vie sans cette orientation, mais apprennent avec le temps à devenir comme lui. Il y en a d'autres encore qui arrivent à tirer le meilleur parti possible de cette disposition naturelle chez eux en s'efforçant intentionnellement de devenir encore plus comme Fred.

De toute manière, plus vous attirerez des Fred dans votre organisation ou votre équipe, plus vous connaîtrez la réussite. Avant que je vous explique comment aider les gens à devenir davantage comme Fred, examinons quelques moyens de faire connaissance avec les Fred qui se trouvent déjà dans notre entourage.

Il existe trois moyens de base pour dénicher les Fred, tant à l'intérieur qu'à l'extérieur de votre organisation.

Laissez-vous trouver par eux

Votre organisation est-elle un aimant à Fred ? Si vous souhaitez vraiment que votre société soit de niveau international, elle doit devenir du genre de celles qui attirent les Fred.

Selon Dale Dauten, auteur de *The Gifted Boss*, les gens souhaitent travailler dans des organisations et pour des patrons qui leur offrent du changement et leur donnent une chance. Ce changement est l'occasion de travailler pour une organisation qui reconnaît, récompense, encourage et valorise les Fred. Cette chance, quant à elle, est l'occasion de devenir meilleur que jamais.

Voilà les éléments que la plupart des Fred souhaitent avoir et recherchent.

Mais voici l'astuce : S'il n'y a pas déjà dans votre société ou votre organisation des gens qui vivent vraiment comme Fred et qui réalisent déjà des choses exceptionnelles au profit de vos clients, on ne la percevra pas comme le lieu de travail par excellence. Si en rentrant chez eux en fin de journée vos employés et vos collègues ne parlent pas avec enthousiasme à leur famille et à leurs amis de la société formidable pour laquelle ils travaillent, ne comptez pas sur le bouche à oreille pour vous attirer une avalanche de demandes d'emploi de la part de candidats comme Fred.

Il arrivera que vous puissiez recruter des personnes exceptionnelles dans d'autres services de votre propre organisation. Il se peut qu'ils se sentent restreints par leur patron ou leur situation actuelle et qu'ils cherchent un endroit où ils pourront grandir et montrer de quoi ils sont capables.

Faites de votre lieu de travail une oasis pour les Fred. Des chefs de service vraiment compétents m'ont souvent dit avoir recruté leurs meilleurs coéquipiers dans d'autres services où on ne prenait pas bien soin d'eux.

DÉCOUVREZ LES FRED EN PUISSANCE

Trouver des Fred n'est souvent pas plus difficile que de dénicher les talents latents de ceux avec qui vous travaillez déjà.

Vous rappelez-vous l'époque où la réduction des effectifs était si fréquente ? Il ne fait aucun doute qu'une partie de cette réduction s'avérait nécessaire, mais j'ai toujours eu le sentiment qu'une grande partie ne constituait qu'une « solution miracle ». Les dirigeants croyaient plus facile de laisser aller des employés que de libérer leurs talents et leurs compétences. Que serait-il arrivé si des dirigeants avaient pris le temps de préciser les contributions cachées que les employés auraient pu apporter pour justifier leur place au sein de l'entreprise ?

Beaucoup d'employés sont fin prêts à faire de l'ordinaire quelque chose d'extraordinaire, mais personne n'a découvert comment déclencher le processus.

Pour découvrir des talents, il suffit souvent de les mettre en lumière. Si vous donnez aux gens de votre organisation le temps nécessaire – soit l'atout le plus précieux – pour qu'ils vous révèlent leurs talents, vous verrez combien les Fred sont nombreux au sein de votre organisation.

Existe-t-il des trucs ou des techniques qui permettent de repérer des Fred en puissance? En théorie, du moins, tout le monde est en mesure de faire de l'ordinaire quelque chose d'extraordinaire. Mais le type de personne à qui je fais allusion ici est déjà enclin à le faire. La suggestion la plus pratique que je puisse vous faire consiste à rester vigilant. Restez à l'affût de gens qui font preuve de flair dans ce qu'ils accomplissent (à ne pas confondre avec le désir d'en mettre plein la vue ou d'attirer l'attention). Un projet exceptionnellement bien réalisé, une rencontre avec un client dirigée de manière élégante ou une suggestion brillante sont tous des indices possibles de ce que vous vous trouvez en présence d'un Fred en puissance.

Engagez des Fred

Une fois que vous aurez épuisé le «bassin de Fred en puissance» de votre entourage, vous devrez découvrir comment identifier un Fred en puissance lors d'un entretien d'emploi. Voici ce que vous devriez demander à un postulant:

- Qui sont vos héros? Pourquoi le sont-ils?
- Pour quelles raisons une personne en feraitelle plus que le nécessaire?
- Dites-moi trois choses qui, selon vous, plaisent le plus aux consommateurs et aux clients.
- Quelle est la chose la plus géniale qui vous soit arrivée en tant que client?
- Qu'est-ce que le service?

Voici quelques questions à vous poser au sujet d'un Fred en puissance :

- Qu'est-ce que je me rappelle le plus clairement au sujet de cette personne ?
- Quelle est la chose la plus extraordinaire qu'elle ait faite de toute sa vie ?
- Combien manquerait-elle aux gens si elle devait quitter son poste actuel ?

CONSTITUEZ-VOUS UNE ÉQUIPE DE FRED

À votre avis, qu'est-ce qui serait le mieux : a) une équipe ordinaire dirigée par un Fred ou b) une équipe de Fred dirigée par un chef ordinaire ?

O.K., c'était une question piège ! La réponse, du moins selon moi, est la suivante : « ni l'un ni l'autre ». Je souhaiterais avoir une équipe de Fred dirigée par un Fred. Ce n'est que lorsque les chefs d'équipe et leurs équipiers partagent les mêmes valeurs et un même engagement que toute organisation se trouve véritablement en mesure de maximiser le potentiel du facteur Fred.

Il y a une multitude de gens comme Fred sur le marché du travail. Le défi consiste à les trouver. La solution ? À les découvrir, à les attirer et à les engager. Chacune de ces trois étapes implique l'emploi de stratégies légèrement différentes, mais qui se complètent les unes les autres. Au fil du temps, vous parviendrez ainsi à vous constituer une équipe de Fred.

★ Neuf ★

RÉCOMPENSER

Aucun homme ne peut s'enrichir sans lui-même en enrichir d'autres.

— ANDREW CARNEGIE

Dans son livre pénétrant intitulé *The Greatest Management Principle in the World*, Michael LeBoeuf résume plutôt bien les choses en disant qu'on n'obtient pas le comportement voulu en l'espérant, en suppliant ou en le demandant. On obtient, en fait, le comportement qu'on récompense.

LeBoeuf explique plus en détail aussi qu'il s'agit de récompenser le bon comportement et d'avoir recours aux bonnes récompenses.

Vous trouverez dans la suite quelques exemples de la manière dont cela peut se faire.

L'AIDE-SERVEUR D'ATLANTA

L'histoire instructive et touchante qui suit me fut racontée par Jim Cathcart, auteur de *The Acorn Principle* et P.D.G. du Cathcart Institute, Inc.

Il y a quelques années, j'attendais une correspondance à l'aéroport d'Atlanta, en Géorgie.

À l'aire de restauration située entre deux salles des pas perdus, je m'arrêtai prendre le petit déjeuner pour me retrouver confronté à des milliers d'autres voyageurs qui s'étaient aussi arrêtés là pour y manger. L'endroit était bondé ! Près de chaque table se trouvaient des gens en train de faire le pied de grue en attendant de prendre possession d'une chaise dès qu'elle se libérerait.

Tandis que je me trouvais là en train de siroter mon café et de manger mon muffin, je remarquai un aide-serveur en train de débarrasser les tables. Il avait les épaules tristement affaissées, et avait l'air vaincu et déprimé. Il se traînait lentement d'une table à l'autre, enlevant les ordures et lavant les tables. Il ne regardait personne dans les yeux, et du simple fait de le regarder aller je me mis à déprimer !

Réalisant, entre deux états d'âme, ce qui se produisait en moi, je me dis : « Il faut que quelqu'un fasse quelque chose. » Alors je passai à l'acte. Je débarrassai mes ordures et je m'approchai de l'aide-serveur. Je lui tapotai l'épaule (ce qui lui fit faire un mouvement de recul, comme s'il venait d'être pris en faute).

« Ce que vous faites ici est certainement important », lui dis-je.

« Hein ? » me répondit-il.

Je me répétai donc, en ajoutant : « Si vous ne faisiez pas ce que vous faites, il y aurait des ordures partout en moins de cinq minutes, et les gens cesseraient de venir manger ici. Ce que vous faites est important, et je tenais simplement à vous remercier de votre travail.» Puis je m'éloignai.

Il en fut renversé. (Il se peut que personne ne lui ait jamais parlé ainsi auparavant.) Après avoir fait une dizaine de pas, je me retournai pour lui jeter un regard. En aussi peu de temps qu'il m'avait fallu pour faire ces quelques pas, je vous assure qu'il gagna 15 cm! Il se tenait plus droit, presque souriant, et regardait même certaines personnes dans les yeux. Bien entendu, il n'était pas devenu «Monsieur Service», répandant la bonne humeur et la bonne volonté. Il ne faisait que travailler avec un peu plus d'efficacité et en n'ayant plus l'air déprimé.

Dans l'ensemble de la situation, mon geste était bien peu de chose. Mes commentaires ne changèrent pas le monde... ou le firent-ils? En faisant simplement remarquer à l'aide-serveur que son comportement avait une incidence sur les gens, j'ajoutai de la dignité à son travail. Le simple fait de reconnaître sa valeur améliora sa propre opinion de lui-même par rapport à son rôle.

Je raffole de l'histoire de Jim (qui, soit dit en passant, agit tout à fait comme un Fred dans cette situation-là), car elle illustre un principe clé: *Si vous ne voyez pas vraiment à quoi sert ce que vous faites, vous n'y apporterez pas beaucoup de valeur.*

Jim aida cet aide-serveur à voir l'importance de son rôle dans son ensemble. Et ce ne fut pas tout. Au cours de cette journée de travail, l'aide-serveur côtoya probablement des centaines de gens, tous en voyage vers un endroit où ils allaient interagir avec d'autres personnes encore. Or, il ne fait aucun doute que l'aide-serveur transmit un peu de son estime de soi améliorée aux gens de son entourage, et que ces vibrations positives irradièrent et se transmirent à d'autres en des lieux lointains. Voici ce qui se produit lorsque le facteur Fred est pleinement opérant : Même les gestes les plus petits contribuent à rendre le monde meilleur.

L'intention compte aussi

Il est tout aussi important de récompenser un Fred pour de bonnes intentions que pour des résultats exceptionnels. Bien que personne n'aime échouer, il importe beaucoup plus qu'un employé sache qu'on soulignera le risque qu'il a pris pour faire la bonne chose, plutôt que de l'en punir. Personne ne peut frapper chaque fois un coup de circuit. (En fait, les frappeurs de coups de circuit ont tendance à se faire retirer au bâton plus souvent que les autres frappeurs.) Si les gens ont le sentiment que leurs contributions ne sont pas appréciées, ils cesseront de faire des efforts. Et lorsque cela se produira, il n'y aura plus d'innovation.

Mettez à exécution votre stratégie de récompense

Regardez attentivement autour de vous, dans votre organisation ou dans les domaines sur lesquels vous influez. Vous constaterez qu'il n'est pas si difficile de récompenser les gens. Voici tout ce que vous avez à faire sur une base continue :

- Veillez à ce que tous vos équipiers sachent que ce qu'ils font apporte à votre organisation une importante contribution ou qu'ils en ont la capacité.
- Dites à vos équipiers quel type de différence ils font. Soyez précis. Soulignez une production, un chiffre d'affaires et un recrutement accrus ; les recommandations provenant de sources extérieures ; les suggestions pertinentes ; une motivation et un enthousiasme accrus – tout ce qui s'applique.
- Veillez à ce que le feed-back positif qu'ils reçoivent concernant leurs efforts soit la règle, et non l'exception.
- Créez un prix. Considérez la possibilité d'offrir un trophée ou une plaque, ou même une petite somme d'argent. N'offrez pas une récompense financière si importante qu'elle donnera l'impression de passer pour un pot-de-vin destiné à un Fred. Amusez-vous à offrir des récompenses tangibles. Considérez la possibilité de remettre plusieurs prix Fred chaque mois si plusieurs personnes en méritent un.
- Obtenez du dirigeant (P.D.G., président, directeur) de votre organisation qu'il souligne personnellement la contribution des Fred. Demandez-lui d'envoyer une note ou de faire un appel téléphonique afin de faire savoir à

l'employé concerné qu'on a remarqué sa contribution et qu'elle a été appréciée.

Rappelez-vous la formule récompense et mettez-la souvent en application : Souligner une contribution, renforcer ses effets positifs sur votre organisation, et réitérer le tout. Et n'oubliez pas que les éloges sincères pour les efforts d'une personne – tant écrits que verbalisés fréquemment en public et en privé – constitue une des meilleures récompenses qui soient.

★ Dix ★

Éduquer

Plus on est brillant, plus on en a à apprendre.

— Don Herold

Quand vous réfléchissez à l'éducation et à la formation que reçoivent les employés et autres personnes sous votre direction au sein de votre organisation, que constatez-vous qui leur est enseigné et dans quelle mesure le leur est-il bien enseigné ?

Si on n'enseigne aux gens que des sujets et des compétences ordinaires, ils n'apprendront qu'à être *ordinaires*. Dans le monde d'aujourd'hui, toute organisation devrait enseigner à ses employés à être des gens *extraordinaires*.

En général, les dirigeants embrassent universellement les concepts expliqués dans le présent livre, ou du moins ils *disent* le faire. Curieusement, toutefois, je vois rarement des dirigeants ou des organisations tenter d'enseigner les principes mis en lumière dans *Le facteur Fred.*

Une dimension de la philosophie du facteur Fred consiste à s'amuser. Voilà qui rend le travail intéressant et exaltant non seulement pour les gens qui l'accomplissent, mais aussi pour les clients et les collègues.

Pour s'amuser, on pourrait intituler le présent chapitre « Freduquer ». Bien entendu, cela gâcherait l'acronyme FRED dont je me sers dans la présente partie du livre, mais ce que je suggère en réalité, c'est d'enseigner intentionnellement aux gens des moyens de penser et d'agir comme un Fred.

Enseigner ces choses comporte entre autres avantages celui de faire de vous un meilleur dirigeant, voire une meilleure personne. Ce faisant, vous améliorerez votre Freducation, soit l'ensemble de vos compétences. Voici comment procéder.

TROUVEZ DES EXEMPLES PARTOUT

Que remarquez-vous lorsque vous êtes en vacances? Si vous êtes photographe, vous êtes probablement plus sensible que les autres aux occasions qui s'offrent de prendre de belles photos. Si vous êtes musicien, vous faites fort probablement plus attention à la musique qui s'entend ou qu'on joue là où vous vous trouvez. Où est-ce que je veux en venir? Ce sont vos intérêts qui orientent votre sensibilité.

À mesure que vous chercherez de plus en plus à maîtriser l'art de l'extraordinaire pour vous-même et pour autrui, vous remarquerez de plus en plus d'exemples. Non seulement verrez-vous de petites choses être accomplies de manière exceptionnelle et remarquerez-vous des gens qui font un effort supplémentaire pour être extraordinaires, mais encore vous remarquerez des exemples d'« anti-Fred ». Vous vous mettrez alors à vous dire: *Voilà un excellent exemple de ce qu'il ne faut pas faire!*

Prenez note de toutes les idées et de tous les exemples. Si vous tombez dessus dans vos lectures, soulignez-les. Affichez des articles de journaux. Mettez tous ces exemples dans un dossier Fred, et vous aurez bientôt les meilleures illustrations de formation possibles du fait qu'elles ne seront pas abstraites ni artificielles. Rien n'inspire davantage les gens qu'un exemple dont on a fait l'expérience directement ou qu'on a appris indirectement par un incident de la vraie vie.

Mettez les gens de votre équipe au défi de recueillir des exemples eux aussi. Commencez ou terminez vos réunions par la question: «Qui a un exemple du type Fred à faire connaître?» Faites-en un concours amical, avec un prix nominal. Vous pourriez peut-être même afficher bien en vue le «Fred de la semaine».

DISSÉQUEZ ET RÉCAPITULEZ

En général, un changement positif ne durera pas, à moins qu'on comprenne ce qui fait qu'il fonctionne. Même les meilleurs exemples peuvent perdre leur incidence si l'on ne prend pas le temps de considérer exactement ce qui s'est produit.

Disséquer et récapituler constitue un moyen d'accomplir quatre choses: 1) identifier avec précision la bonne idée qui sous-tend l'exemple, 2) adapter l'idée à votre situation, 3) chercher des moyens de l'améliorer, et 4) identifier des occasions de la mettre en application.

Voici à quoi ressemble le processus:

- *La bonne idée.* Qu'avez-vous ressenti? Qu'est-ce qui rend cet exemple génial? Qu'est-ce qui en fait un exemple de chose à *ne pas* faire? Quelle est l'idée fondamentale ici?

- *Adapter l'idée à votre situation.* Cela fonctionnerait-il pour vous? Comment cela pourrait-il fonctionner pour vous? Qu'auriez-vous à faire, ou à faire différemment, pour tirer avantage de cet exemple?
- *Chercher des moyens de l'améliorer.* Qu'est-ce qui rendrait cette idée encore meilleure? Que feriez-vous différemment? Qu'est-ce qui permettrait aux clients de l'apprécier encore plus?
- *Les occasions de la mettre en application.* Quand pourriez-vous utiliser cette idée? Où? Avec qui? Quand vous y mettrez-vous?

ENSEIGNEZ À ACCOMPLIR DES MIRACLES

Mon ami et collègue conférencier Don Hutson s'est fait une excellente idée d'actions ou de réactions «miraculeuses» que les gens et les organisations sont en mesure de réaliser au profit d'autrui. Il demande: «Quand ces miracles se produisent-ils habituellement?» Réponse: Lors d'une crise. Il est vrai qu'il n'y a rien de tel qu'une crise pour capter notre attention et nous faire aller au-delà de nos capacités actuelles.

Mais il ne s'agit pas ici du point essentiel. Le message de Don est plus important encore: N'attendez pas qu'il y ait une crise! Accomplissez des miracles sur une base régulière. Don en est venu, avec raison, à la conclusion que la plupart de ces miracles sont le fait d'une personne qui a un grand cœur et un esprit compatissant, qui, fait intéressant, décrit avec justesse le type de personne qui saisit bien le facteur Fred.

Vous attendez-vous à voir des miracles se produire sur une base régulière ? Ou réservez-vous un rendement aussi extraordinaire aux temps de crise ? Enseignez le facteur Fred comme moyen d'accomplir des miracles tous les jours. (La taille du miracle est moins importante que sa fréquence.)

ATTIREZ, NE POUSSEZ PAS

On ne peut ordonner à quelqu'un d'être un Fred. On ne peut exiger de quelqu'un qu'il mette en pratique le facteur Fred. On peut essayer, bien entendu. Mais cela ne fonctionnera pas. Le fait de commander et de contrôler a pour effet de court-circuiter l'esprit du facteur Fred, qui est uniquement une question d'occasion, et aucunement d'obligation.

Voici ce que vous pouvez faire : Invitez des gens à se joindre à vous. Autrement dit, attirez, ne poussez pas. Utilisez votre enthousiasme et votre consécration pour susciter leur participation et leur engagement. L'outil le plus puissant dont vous disposez pour répandre le facteur Fred dans toute votre organisation, c'est votre propre comportement – l'exemple de votre vie et l'effet qu'il produit sur autrui.

Les meilleurs Freducateurs sont eux-mêmes des Fred. Ils font en sorte que ces principes et ces pratiques aient une incidence sur leur manière d'enseigner, de former et de développer les gens. Après tout, comme

John Maxwell l'a dit: « On enseigne ce qu'on sait, mais on reproduit ce qu'on est. »

★ Onze ★

DÉMONTRER

On peut prêcher un meilleur sermon par sa vie que par ses lèvres.

— OLIVER GOLDSMITH

Avez-vous un ami ou une connaissance qui vous inspire par son exemple ? J'ai un ami qui vit dans une ville où ma femme et moi rendons souvent visite à des proches. Il est l'incarnation même du gentleman du sud. Homme d'affaires des plus prospère au goût impeccable, il possède et pilote son propre avion, et sa maison et son ameublement sont impressionnants. Pourtant, en dépit de cette réussite qui saute aux yeux, il est tout ce qu'il y a de plus humble et de plus sincère.

Chaque fois que je suis dans sa ville, je ne manque jamais de prendre un repas avec lui. Lorsqu'il est informé de ma venue, il me demande toujours : « Y a-t-il quelque chose que je puisse faire pour toi pendant que tu seras là ? »

N'est-ce pas là la question essentielle que posent les Fred du monde, soit à voix haute ou en eux-mêmes, aux gens qu'ils connaissent et servent ?

Il arrive que des gens posent cette question de manière superficielle, mais je sais par le caractère et le comportement de mon ami qu'il veut sincèrement le savoir. Si je lui disais que j'avais besoin d'une voiture pour me déplacer, je sais avec certitude qu'il me prêterait une des siennes, ou m'en trouverait une à emprunter. C'est le genre de personne qu'il est.

Mais mon ami fait plus que m'offrir de rendre mon séjour agréable. Il m'inspire le désir d'agir comme lui, de m'efforcer d'être du même type que lui. Bien qu'il ne m'ait jamais conseillé quant au moyen de mieux servir les gens ou à celui de devenir plus semblable à un Fred, comme je me plais à le dire, il a contribué davantage que quiconque à me transmettre ce désir.

Il m'inspire par l'exemple de sa vie.

La question magique

Que pourriez-vous faire pour donner l'exemple et inspirer à vos employés le désir de mieux servir les clients, les fournisseurs et leurs collègues ?

Voici quatre suggestions toutes simples :

1. Inspirez, mais n'intimidez pas. Lorsque je raconte l'histoire du facteur dénommé Fred à mes auditeurs, la réaction qu'elle leur inspire et que je préfère ressemble à ceci : « Super ! Je pourrais le faire aussi ! »

Si Fred était perçu comme un surhomme ou étant doté d'une nature extraordinaire, il n'inspirerait pas les gens ; il les intimiderait. Fred inspire les gens comme vous et moi parce que c'est un gars ordinaire qui fait un travail extraordinaire.

Votre exemple devrait être terre à terre et imitable. Si vous êtes perçu comme quelqu'un de génétiquement conçu en vue de performances exceptionnelles, ceux qui auront le sentiment qu'il leur manque cet ADN spécial ne se donneront pas même la peine d'essayer.

2. *Amenez les gens à s'impliquer.* Voici une idée radicale à considérer: *faire équipe avec des Fred.* Il n'existe aucune règle qui empêche une équipe de maîtriser le facteur Fred et d'en tirer avantage.

Il y a plusieurs années, un de mes copains apprit qu'une famille n'avait pas les moyens de s'offrir un repas de l'Action de grâce, ce qui fait qu'il acheta tout le nécessaire et le fit livrer à cette famille la veille de la fête.

L'année suivante, il m'invita à me joindre à lui afin de faire quelque chose de bien pour des gens en vue de l'Action de grâce. C'était quelque chose de formidable, et j'invite depuis d'autres personnes à se joindre à moi dans des activités semblables.

Voilà le pouvoir de l'implication. Elle est bien plus efficace que les suggestions et les demandes.

Que pouvez-vous faire pour amener les gens à poser des gestes intentionnels du type de ceux d'un Fred ?

3. *Prenez l'initiative.* N'attendez pas que «le bon moment» se présente. Cela ne se produira jamais. N'attendez pas que quelqu'un d'autre passe à l'action en premier. Il se peut que quelqu'un le fasse, mais cela est improbable. N'attendez pas l'occasion parfaite. Saisissez une occasion et rendez-la aussi parfaite que possible.

Vous pouvez donner le ton d'un rendement extraordinaire au sein de votre organisation, mais uniquement en prenant l'initiative. Pour ce faire, vous devez passer à l'action. Avec courage. Promptement.

Soyez humble dans vos motifs, mais pas dans votre exemple. N'agissez pas comme un Fred en vue d'obtenir de la reconnaissance; faites-le pour susciter une participation. Lorsque vous prenez l'initiative, vous êtes l'étincelle qui allumera le feu sacré chez les autres.

4. Improvisez. Si je devais vous donner un devoir à faire pour vous enseigner le facteur Fred le mieux possible, je vous demanderais peut-être d'assister à une performance comique improvisée. Toute la beauté de l'improvisation réside dans le fait qu'elle prouve qu'il est possible de rendre amusantes n'importe quelles circonstances ou situation. Comme dans la vie, ce n'est pas la situation qui détermine le résultat, mais les participants.

Prenez ce que la vie vous apporte. Il se peut que vous deveniez un exemple positif, et cela non en raison de votre situation, mais en dépit d'elle!

Il se peut que vous occupiez le poste ayant le moins d'avenir sur toute la planète, mais cela ne devrait pas vous empêcher de vous réinventer, vous et votre emploi. En cours d'amélioration, tandis que vous tenterez des choses pour voir ce qui fonctionne, vous améliorerez probablement votre emploi (ou relation ou situation). Et dites-vous bien que, même si ce n'est pas le cas, au moins vous ne vous ennuierez pas!

Oubliez le dicton insensé qui dit que ceux qui veulent peuvent, et que ceux qui ne peuvent, enseignent. Non seulement cette affirmation s'avère désobligeante et insultante envers les professionnels dévoués de l'éducation et de la formation, mais encore, mises à part quelques exceptions, elle est tout à fait erronée.

Quelle est la réalité? Ceux qui font le mieux les choses sont ceux qui les enseignent le mieux. L'homme ou la femme qui sait faire la démonstration d'une leçon par sa propre vie est la personne qui influe le plus puissamment sur autrui.

Lorsque ceux qui savent sont capables de démontrer, ceux qui apprennent sont capables de grandir. Voilà à quoi ressemble une bonne Freducation.

ALLEZ RÉPANDRE LE FACTEUR FRED

Maintenant que vous êtes certainement convaincu de vouloir être vous-même un Fred, permettez-moi de vous soumettre trois autres moyens de contribuer à remplir notre monde de Fred :

1. *Reconnaissez les Fred de votre vie.* Remémorez-vous votre vie. Qui ont été les Fred – vos proches, vos professeurs, vos pasteurs, vos rabbins, vos amis, et autres – qui ont fait le plus de différence dans votre vie? Peut-être s'agit-il d'une personne que vous avez rencontrée hier dans votre travail. Peu importe de qui et de quand il s'agit, ne prenez pas à la légère les choses extraordinaires que les gens ont faites et font pour vous.

2. *Soulignez la contribution des Fred.* Après avoir réalisé qui ont été les Fred de votre vie, prenez le temps de leur faire savoir combien vous avez apprécié leurs efforts. Écrivez à chacun une lettre ou une note. Envoyez-leur des cadeaux. Rédigez des articles ou des lettres à l'éditeur, et veillez à ce que vos Fred en reçoivent une copie. Soumettez leur candidature au prix

Fred (pour plus de détails, consultez le site Web www.fredfactor.com). Assurez-vous qu'ils savent qu'ils ont de la valeur et qu'ils sont appréciés.

3. Rendez aux Fred leur gentillesse. La seule chose qui soit préférable à la reconnaissance, c'est l'action. Choisissez de faire quelque chose d'extraordinaire, et dédiez-le à quelqu'un qui vous a inspiré. Le meilleur moyen de faire cela, comme le disent le livre et le film qui ont fait un tabac et qui portent le même nom, se résume ainsi : « Payez au suivant ».

Le facteur dénommé Fred a déjà lancé une réaction en chaîne, en commençant dans ma vie et dans celle de ses clients. Tandis que je raconte son histoire, il influe sur des centaines de personnes, sinon des milliers. Mais réfléchissez aux gens qui ont dû avoir une incidence positive sur lui ! La réaction en chaîne a dû commencer bien longtemps avant que Fred se mette à livrer le courrier dans ma rue.

L'emploi du facteur Fred ne permettra pas de trouver remède contre le rhume ni n'apportera la paix dans le monde, mais il réchauffera la vie de beaucoup de gens et apportera la paix dans votre propre coin du monde.

N'est-il pas formidable de savoir que vous êtes en mesure de montrer à d'autres comment rendre l'ordinaire extraordinaire ?

QUATRIÈME PARTIE

PAR AMOUR POUR FRED

★ Douze ★

Le Fred d'aujourd'hui

Nous sommes ce que nous faisons à répétition. L'excellence n'est donc pas un acte, mais une habitude.

— Aristote

On me pose souvent des questions sur Fred. Où vit-il aujourd'hui ? Que fait-il ? Tandis que j'écris le présent livre, Fred s'emploie encore à faire un travail typiquement exceptionnel en livrant le courrier à Denver.

Récemment, le Service postal des États-Unis a souligné le service que Fred fournit depuis de nombreuses années en tenant une cérémonie spéciale à sa succursale. J'ai eu alors le privilège de m'adresser aux collègues de Fred.

Fred s'y trouvait avec sa femme, Kathie, et d'autres membres de sa famille. Ses collègues étaient extrêmement fiers de Fred et de l'honneur dont il faisait l'objet. Après avoir parlé de Fred à mes auditeurs pendant tant d'années, j'ai eu la satisfaction de le voir recevoir enfin de son employeur la reconnaissance officielle qu'il méritait tellement et que les clients de Fred lui avaient prodiguée au fil des ans.

L'équipe d'une station de télévision locale de Denver se trouvait sur place afin de couvrir l'événement, et plus tard aux actualités en soirée on a pu voir un reportage spécial sur Fred. On pouvait le voir en train de livrer le courrier selon son itinéraire, et le reportage comportait de brefs interviews auprès de quelques « clients », qui exprimaient tous leur admiration et leur appréciation.

L'émission a permis aux téléspectateurs de découvrir que j'étais le conférencier qui racontait l'histoire du facteur Fred et qui était en train d'écrire un livre le concernant. En conséquence, j'ai reçu des appels téléphoniques et des courriels au sujet de Fred dans lesquels on me disait le plus souvent : « Je connais Fred également, et vous avez raison ; il est étonnant ! »

Une cliente figurant sur l'itinéraire de Fred m'a téléphoné pour me raconter ce qui suit : Elle avait vécu à Washington Park pendant plusieurs années lorsqu'elle était parent unique. Durant toute la croissance de sa fille, elle l'éduqua seule, et Fred lui livrait son courrier.

La mère de cette dame était en visite dans sa ville et, comme cela arrive parfois, grand-maman lui exprimait son désaccord quant aux techniques parentales que la maman avait employées avec sa fille devenue grande. Cela ennuyait la femme en question, et lorsque Fred se présenta à la porte ce jour-là pour lui livrer son courrier, elle se sentit assez à l'aise avec lui pour décharger son cœur.

Lorsque Fred entendit son histoire, il se montra catégorique dans ses propos : « Je vous ai vue éduquer votre fille depuis sa tendre enfance jusqu'à ce qu'elle devienne la femme qu'elle est aujourd'hui. Et vous avez été une mère merveilleuse ! Elle est devenue quelqu'un de formidable, et vous n'avez rien à vous reprocher. Vous devriez être fière de ce que vous avez accompli. »

Ces paroles gentilles firent toute la différence dans sa journée. Tout ce dont elle avait besoin pour passer de la déprime à la gaieté, c'était de recevoir un mot d'encouragement de la part de quelqu'un qu'elle connaissait et en qui elle avait confiance. Cette personne était Fred, son facteur.

Pour Fred, cette femme n'était pas qu'une cliente. Au fil du temps, il avait noué avec elle une amitié qui permettait à cette mère célibataire de se sentir à l'aise de se confier à lui. Le jour où elle eut besoin d'une nouvelle perspective, Fred était prêt à la lui fournir et fut en mesure de le faire.

J'en ai appris également davantage au sujet des antécédents de Fred. Il se mit à jouer de la musique à l'âge de huit ans et, jeune homme, devint batteur dans un groupe. Il fit la connaissance de Kathie un soir que le groupe se produisait.

Son intérêt pour la musique permit à Fred de développer parmi ses passe-temps celui de remettre des tambours à neuf afin d'en faire don à des écoles pour leurs cours de musique. Un jour, le professeur de musique d'une école de son quartier lui téléphona pour l'informer de ce qu'il perdait ses batteurs à un rythme alarmant. Fred diagnostiqua le problème: Comme ils ne disposaient que de tambours à timbre, les batteurs en venaient à trouver leur rôle ennuyeux.

Voilà ce qui motiva Fred à commencer à remettre des tambours à neuf. Trois soirs par semaine, il passait deux heures à l'école à travailler avec les jeunes et à leur fournir des batteries sur lesquelles jouer. Mais à quoi aurait-on pu s'attendre d'autre de la part de Fred ?

QU'EST-CE QUI FAIT DE QUELQU'UN UN « FRED » ?

Maintenant que vous savez ce que Fred fait et comment il s'y prend pour le faire, il vous reste à savoir pourquoi il le fait.

Depuis toutes les années que je connaissais Fred, je ne lui avais jamais posé la question qui pourrait bien être pourtant la plus importante : « Pourquoi faites-vous ce que vous faites ? » Le travail extraordinaire qu'il accomplissait en tant que facteur allait le rendre ni riche ni célèbre.

Alors je posai la question à Fred. Ses réponses s'avérèrent concises, mais soigneusement réfléchies. Fred est une de ces personnes qui veillent sérieusement à donner un sens à leur vie. Il se comprend bien lui-même et ce qui le motive. Voici en résumé ce que Fred me dit qui le motive à être un « Fred » :

1. Faites du bien et vous vous sentirez bien. « Je dois me sentir bien dans ma peau tous les jours, et la satisfaction de prendre soin des gens m'y aide », me dit Fred.

Fred trouve gratifiant le fait d'être au service d'autrui. Il a découvert un secret : Quand on fait du bien, on se sent bien. Chercher à se sentir bien en tant que moyen d'arriver à ses fins ne fonctionne pas. Comme les philosophes et les théologiens le savent depuis des centaines d'années, être au service d'autrui non seulement est la chose à faire, mais procure aussi un sentiment de satisfaction.

2. *Le meilleur ne se repose jamais.* Fred continua de répondre à ma question en me disant: «Je suis mon pire critique. On m'a dit que je suis perfectionniste. Mais c'est que je ressens le besoin pressant d'en faire autant que possible chaque jour. Je prends soin de gens qui ne savent pas toujours ce que j'ai fait pour eux. Mais même si personne d'autre ne le sait, moi, je le sais. Ce qui fait que mon engagement personnel consiste à faire de mon mieux. Et vous savez quoi? Il ne me faut pas beaucoup de temps supplémentaire pour faire ce que je fais.»

Fred est un exemple de personne qui fournit de nobles efforts et qui y met du cœur. Si Fred n'était qu'un perfectionniste, il n'aurait pas la même incidence sur les gens. Mais il se soucie autant des gens qu'il sert que de la qualité de son travail. Or, dans notre monde, cela fait toute une différence positive.

3. *Traitez les clients et les autres comme des amis.* Personne ne saurait nier que Fred fournit un service hors pair. L'ironie dans cela, c'est qu'il y arrive du fait qu'il ne pense pas en matière de «service à la clientèle».

«Je veux rentrer chez moi en fin de journée avec le sentiment d'avoir pris soin de ceux que je côtoie, me dit Fred. Je ne les considère pas comme des clients, mais comme des amis qui apprécient que je leur facilite un peu la vie.»

Dans l'exercice de ses fonctions de facteur, Fred retire les publicités qui sont prises dans les portes et les journaux qui sont semés le long des trottoirs. Il enlève même les boîtes à recyclage pour les placer dans des endroits moins à la vue. Les propriétés de ses clients ont l'air mieux entretenues, et les cambrioleurs et les malfaiteurs ont un indice de moins qui leur indique qu'il n'y a personne à la maison.

« Dans un sens, on pourrait dire que je suis mon propre programme de surveillance de quartier », me dit Fred en ricanant.

4. *L'incidence que vous avez sur autrui constitue votre récompense.* On pourrait penser que Fred s'attendrait ou, du moins, espérerait recevoir la reconnaissance dont il a fait l'objet. Mais ce serait contre sa nature. Au sujet du présent livre et de l'attention qu'il lui a méritée, Fred se dit en être renversé.

Il n'a jamais recherché la reconnaissance ni les honneurs. Il a fait ce qu'il a fait, et ce qu'il continue de faire, il le fait pour la simple et bonne raison qu'il sent que c'est la chose à faire. Vous et moi, nous ne nous étonnons pas de ce que son service exceptionnel lui a attiré beaucoup d'attention, mais Fred s'en étonne.

Pour lui, les récompenses et la reconnaissance ne sont rien de plus que la cerise sur le gâteau. Le gâteau, c'est le fait de travailler du mieux qu'il le peut et de rendre service aux gens.

« Il ne faut pas beaucoup de temps pour faire sourire quelqu'un. Et si je suis en mesure de mettre le sourire aux lèvres de quelqu'un sur mon chemin, voilà ma récompense », me précisa Fred.

5. *Vivez la règle d'or.* Fred me fit remarquer que sa façon d'aborder la vie n'est pas courante de nos jours. « Je vois beaucoup de "moi, moi, moi" dans notre culture. Je choisis de soulager les gens de quelques-uns de leurs soucis. Pour moi, c'est aussi simple que de vivre la règle d'or : traiter les autres comme j'aimerais qu'on me traite. »

6. Ne craignez rien, sinon de gaspiller l'instant qui passe. Je demandai à Fred : « Si vous aviez un dernier conseil à donner aux lecteurs de ce livre, quel serait-il ? »

Sans hésiter, il me répondit : « Considérez chaque jour comme un jour nouveau, et rendez chaque journée meilleure que la précédente. Même lorsque je suis en congé, je poursuis des objectifs, et j'ai le sentiment d'avoir beaucoup à accomplir. Si j'ai l'impression d'avoir gaspillé ma journée, je ne dors pas aussi bien durant la nuit. »

Voilà le modus operandi de Fred. Il ne fait pas ce qu'il fait dans le but d'accroître les parts de marché, d'obtenir des prix ou d'augmenter ses revenus. Il pratique l'art de l'extraordinaire du fait qu'il est déterminé à tirer le meilleur profit possible de chacune de ses journées.

★ Treize ★

L'ESPRIT D'UN FRED

Au jour du Jugement, on ne nous demandera pas ce que nous avons lu, mais bien ce que nous avons fait.

— THOMAS A KEMPIS

L*e Facteur Fred* est basé sur l'exemple d'un facteur extraordinaire. Considérez-le comme l'histoire de Fred.

Bien entendu, l'esprit qu'il manifeste a habité des hommes, des femmes et des enfants tout au long de l'histoire de l'humanité. Certains furent acclamés par le public et passèrent à l'histoire. La contribution d'autres passa sous silence, du fait qu'ils accomplirent leur travail relativement dans l'ombre.

De qui nous souvenons-nous le plus ? Nous nous rappelons ceux qui ont vécu au service d'autrui. Ce qui nous impressionne et nous touche le plus, ce n'est pas ce que les gens obtiennent, mais ce qu'ils donnent ; ce n'est pas leurs conquêtes, mais leurs contributions. Et nous reconnaissons en chaque Fred un but commun inspiré par une générosité d'esprit qui se trouve parmi nous depuis la nuit des temps.

Avoir le cœur d'un Fred

C'était le premier jour du jardin d'enfants, et j'allais entrer dans l'école avec Hunter, mon fils. Tandis que nous approchions de l'édifice, il me demanda: « Papa, quelle est la chose la plus importante de toutes ? » Je fus impressionné de voir que mon fils, alors âgé d'à peine cinq ans, était assez perspicace pour me demander conseil quant au moyen de bien réussir en classe. Après avoir réfléchi un instant, je me mis à lui répondre en lui communiquant quelques idées sur la nécessité d'obéir aux professeurs, d'en apprendre le plus possible et de bien s'amuser avec les autres enfants. Mais avant que je n'eus pu terminer, Hunter m'interrompit.

« Papaaaaaa, me lança-t-il en étirant le mot avec un soupçon d'exaspération. La chose la plus importante de toutes, c'est l'amour. »

Sa réponse m'arrêta net. Papa n'avait pas bien compris. En fait, Hunter me demandait un conseil tout simple, mais sa pensée était profonde.

Si on devait me demander quelle est la chose la plus importante concernant le facteur Fred, je serais dans l'obligation de répondre comme mon fils. *La chose la plus importante, c'est l'amour envers les autres.* Pas nécessairement un amour doucereux, qui pousse à chanter « We Are the World », mais un amour stable, une véritable générosité d'esprit qui rend capable d'agir au profit des autres – ceux qu'on connaît et ceux qu'on ne connaît pas – parce qu'à la base on choisit de donner de sa personne.

J'ai découvert qu'une telle générosité d'esprit se révèle, entre autres choses, par l'action. Je peux aimer quelqu'un qui ne me plaît pas nécessairement. Je peux faire quelque chose pour cette personne ou agir d'une certaine manière envers elle parce que je sais que c'est la bonne chose à faire même si cela ne me réchauffe pas le cœur.

Alors voici ma définition ad hoc de ce qu'est la générosité d'esprit: Notre engagement à traiter une personne avec dignité et gentillesse, quels que soient les sentiments qu'elle nous inspire.

Il est beaucoup plus facile d'agir avec générosité envers les gens qui sont aimables. Pratiquement tout le monde peut en faire autant. Mais agir de la sorte envers des gens dont le comportement laisse à désirer ou qui se trouvent en situation rebutante constitue le grand défi de la vie.

Mère Teresa a pris soin des lépreux, des indigents et des parias du monde, et nous la considérons comme une sainte.

Le souvenir que je garde de Marva Collins est celui d'une femme qui se souciait vraiment de ses élèves. Il y a plusieurs années, elle mit sur pied à Chicago un programme auquel elle donna le nom de Westside Prep et elle fit le serment de ne jamais laisser ses élèves échouer. Je suis convaincu que certains de ces élèves ont été pour elle une source de frustration et de colère. Mais elle leur vint en aide quand même.

Plus vous vous souciez d'autrui – en faisant le nécessaire pour les traiter avec dignité, leur rendre service et enrichir leur vie –, plus ce sera facile de les apprécier. Les gens deviennent plus aimables lorsqu'ils sont aimés.

La majeure partie du présent livre porte sur le *quoi* et le *comment* du facteur Fred, mais si vous ne comprenez pas le *pourquoi,* vous vous lasserez rapidement du voyage. C'est le *pourquoi* à l'origine du facteur Fred qui vous soutiendra et vous guidera.

Le facteur dénommé Fred se soucie véritablement des gens. Il se soucie profondément de ses clients et de ses collègues. Et c'est l'évidence même. Il accomplit son travail ordinaire chaque jour avec compassion et avec cœur, le rendant ainsi extraordinaire.

Le présent livre raconte brièvement l'histoire d'un Fred en particulier, celui qui me livrait mon courrier et qui devint mon ami. Mais l'histoire de l'humanité est parsemée de nombreux autres Fred.

Ce qui rend n'importe quelle action extraordinaire, c'est le fait de la poser avec cœur. Ce qui rend n'importe quelle vie extraordinaire, c'est le fait de la vivre avec amour.

Voilà le secret du facteur Fred.

Annexe

LE BULLETIN SCOLAIRE D'UN FRED

Évaluez ce que vous chérissez.

Aimeriez-vous connaître un moyen d'évaluer vos efforts pour devenir un Fred ? J'ai créé un bulletin scolaire destiné à vous permettre d'évaluer vos efforts et de vous rappeler les traits de caractère clés d'un Fred. Servez-vous-en comme d'un rappel positif pour vous garder axé sur le processus en cours.

1. APTITUDE AU DISCERNEMENT

L'ignorance n'est pas synonyme de félicité, mais de cécité. L'inaptitude à discerner les choses nous empêche de nous concentrer intentionnellement sur ce qui a de l'importance. La conscience des choses colore la perspective que nous en avons. Les valeurs qu'on garde le plus précieusement dans son esprit deviennent les valeurs qu'on est le plus susceptible de vivre.

Dans ce cas-ci, l'aptitude à discerner consiste à suivre l'exemple de Fred par votre propre comportement. Il s'agit donc de connaître à fond les quatre principes présentés au chapitre 2: Tout le monde fait une différence; La réussite se bâtit sur les relations; Vous devez créer continuellement de la valeur pour autrui, ce qui n'a d'ailleurs pas à vous coûter le moindre centime; Vous pouvez vous réinventer régulièrement.

2. Agenda

Votre agenda est votre plan. Il indique votre détermination à faire les choses que vous jugez importantes. Vous pouvez savoir des choses, sans pour autant y faire quoi que ce soit. L'agenda fait passer de la possibilité à l'intention.

Jetez un œil à votre liste de choses à faire chaque jour. Le type de tâche qui ajoutera de la valeur à votre travail y figure-t-il ? Celles qui noueront de meilleures relations ? Celles qui feront une différence positive dans le monde ?

Votre agenda permet de répondre à la question suivante : « Qu'avez-vous l'intention de faire pour devenir un Fred ? »

3. Attitude

Voici un dilemme intéressant : Vous aurez beau faire toutes les bonnes choses, si vous les faites pour les mauvaises raisons ou avec la mauvaise attitude, vos efforts seront court-circuités.

Ce qui ne fonctionnera pas : Agir comme Fred parce que vous avez le sentiment de le devoir. *Ce qui fonctionnera :* Agir comme Fred parce que vous le voulez.

L'attitude colore tout ce que vous et moi faisons dans la vie.

L'attitude positive fait voir les choses qu'on entreprend comme des opportunités, et non des obligations.

L'attitude positive fait voir le meilleur, et non le pire, dans les circonstances.

L'attitude positive pousse à dire « je peux », et non « je dois ».

L'attitude positive rend plein d'espoir, et non pessimiste.

Et si vous souhaitez en voir les effets, relisez le chapitre 1, intitulé « Le premier Fred ».

4. Action

L'intention sans action n'est qu'un rêve. En bout de ligne, ce n'est pas ce qu'on veut faire ou prévoit faire, mais ce qu'on fait, qui fait une différence.

Quelle distance sépare votre intention d'être un Fred des actions que vous posez jour après jour en ce sens ?

5. Accomplissement

Vous pensez peut-être que l'action vient en dernier lieu dans le bulletin scolaire d'un Fred, mais ce n'est pas le cas. Le dernier moyen de vous noter consiste à évaluer ce que vous accomplissez.

Pourquoi certaines personnes qui accomplissent les mêmes choses que d'autres, ou des choses à peu près semblables, arrivent-elles à en faire beaucoup plus ? Il y a souvent des différences subtiles dans les choses qu'elles font, dans les actions qu'elles posent.

Le fait d'évaluer vos réalisations vous fournit le moyen de peaufiner vos efforts en vue d'avoir une incidence maximale.

Êtes-vous en train d'accomplir les réalisations que vous espériez ? Est-ce que le temps et l'énergie que vous investissez dans le but de devenir un Fred s'avèrent profitables pour autrui ? Pour vous-même ?

Si vous obtenez une note inférieure à un A en matière d'accomplissement, revenez à l'aptitude au discernement, à l'agenda, à l'attitude et à l'action afin de diagnostiquer des occasions de vous améliorer.

Bien entendu, la bonne nouvelle, c'est que vos efforts feront parfois une incroyable différence positive dans la vie d'autrui, même s'il se peut que vous n'en entendiez jamais parler. Alors, ne soyez pas trop dur envers vous-même. Le fait que vous soyez en train d'essayer et que vous fassiez de votre mieux ajoute indubitablement de la valeur à la vie d'autres personnes.

Le bulletin scolaire d'une équipe de Fred

- Est-ce que chaque membre de votre équipe sait qu'il fait une différence ?
- Est-ce que tout le monde sait nouer des relations ?
- Est-ce que tout le monde sait créer de la valeur ?
- Est-ce que les membres de l'équipe savent combien plus ils pourraient se réinventer, eux-mêmes et leur organisation, au moyen de l'innovation et d'un engagement passionné ?

AU SUJET DE L'AUTEUR

MARK SANBORN est un auteur à succès de renommée internationale qui compte parmi les membres les plus jeunes à avoir été intronisés au Speaker Hall of Fame (panthéon des conférenciers). Il est président de Sanborn and Associates, Inc., un studio d'idées pour le développement du leadership. Mark a donné des conférences sur le leadership, le changement, le travail d'équipe, le service à la clientèle et la motivation dans tous les États américains, de même que dans onze pays. Il a été le président de la National Speakers Association, une association d'experts et de conférenciers professionnels.

Depuis plus de trente ans, Mark se consacre à faire des recherches et des études sur le leadership, ainsi qu'à mettre en pratique ce qu'il apprend à titre d'intervenant. Parmi ses clients se trouvent des sociétés Fortune 500, des universités, des associations et des Églises.

Mark a également écrit et édité plusieurs livres, dont :

Teambuilt : Making Teamwork Work

Upgrade! Proven Strategies for Dramatically Increasing Personal and Professional Success

Sanborn on Success

Meditations for the Road Warrior (éditeur)

Best Practices in Customer Service (collaborateur)

Pour obtenir davantage de renseignements au sujet de Mark et des services qu'il offre, veuillez visiter les sites Web *www.marksanborn.com* ou *www.fredfactor.com.*

TABLE DES MATIÈRES